Irina Korschunow
Die Wawuschels mit den grünen Haaren

Irina Korschunow stammt aus einer deutsch-russischen Familie. Sie ist in Stendal geboren und aufgewachsen, hat Germanistik in Göttingen studiert und lebt heute bei München. Zu ihren Veröffentlichungen gehören Erzählungen, Feuilletons und Glossen; sie schreibt auch für Rundfunk und Fernsehen. Als Kinderbuchautorin wurde sie vor allem durch ihre ›Wawuschel‹-Bücher bekannt. Von Irina Korschunow sind außerdem erschienen: ›Der Zauberstock des Herrn M. M.‹, ›Niki aus dem zehnten Stock‹, ›Töktök und der blaue Riese‹ und ›Eigentlich war es ein schöner Tag‹. ›Der kleine Clown Pippo‹ und ›Leselöwen-Stadtgeschichten‹ sowie ›Hanno malt sich einen Drachen‹, dtv junior, Band 7306, kamen in die Auswahlliste zum Deutschen Jugendbuchpreis. Für Jugendliche schrieb die Autorin die Jugendromane ›Die Sache mit Christoph‹ und ›Er hieß Jan‹.
›Hanno malt sich einen Drachen‹ ist jetzt auch als Schallplatte in der JUNIOR-Reihe der Deutschen Grammophon Gesellschaft erhältlich.

Irina Korschunow

Die Wawuschels

mit den grünen Haaren

Deutscher
Taschenbuch
Verlag

Illustriert von Erich Hölle

Von Irina Korschunow sind außerdem
bei dtv junior erschienen:
Hanno malt sich einen Drachen, Band 7306
Hanno malt sich einen Drachen, Schreibschrift,
Band 7504
Die Sache mit Christoph, Band 7811

Ungekürzte Ausgabe
1. Auflage April 1975
5. Auflage November 1981: 42. bis 48. Tausend
Deutscher Taschenbuch Verlag GmbH & Co. KG, München
© 1967 Herold Verlag Brück KG, Stuttgart
Umschlaggestaltung: Celestino Piatti
Umschlagbild: Erich Hölle
Schrift: Palatino 12/14
Satz: IBV Lichtsatz KG, Berlin
Druck und Bindung: Ebner Ulm
Printed in Germany · ISBN 3-423-07164-8

Inhalt

1. Kapitel

Es bumst

An einem schönen Sommertag, als draußen im Wald die Sonne schien, saßen die Wawuschels in ihrem Berg und horchten.

Übrigens, wer sind die Wawuschels?

Manche Leute behaupten, es gäbe eine Menge Wawuschels. Aber das stimmt nicht. Von den Wawuschels gibt es nur eine Familie:

> Den Wawuschelvater,
> die gute, dicke Wawuschelmutter,
> den faulen Wawuschelonkel,
> die Wawuschelgroßmutter, der das Zauberbuch gehört,
> den Wawuscheljungen Wuschel,
> und das Wawuschelmädchen Wischel
> mit den grünen Zöpfen.

Die Wawuschels sind klein, winzig klein, wawuschelklein. Aber das ist noch nichts Besonderes. Das Besondere an den Wawuschels sind ihre Haare. Alle Wawuschelköpfe sitzen voll grüner, dicker Wuschelhaare, und diese Haare haben eine nützliche Eigenschaft: Sie leuchten im Dunkeln! Und weil ihre Haare leuchten, brauchen die Wawuschels keine Lampen und Laternen in ihrem Berg.

Wuschel und Wischel, die beiden Wawuschelkinder, laufen den ganzen Tag im Wald umher, erstens, weil es ihnen dort gefällt, und zweitens, weil sie Beeren und Tannenzapfen für die Wawuschelmutter suchen müssen.

Die Wawuschelmutter braucht nämlich eine Menge Beeren und Tannenzapfen, um Marmelade zu kochen. Alle Wawuschels essen für ihr Leben gern Marmelade. Sie mögen nichts anderes als Marmelade, und die Wawuschelmutter steht tagein, tagaus am Herd und rührt und macht sich Sorgen, daß die Marmelade nicht reichen könnte.

»O jemine, o jemine«, jammert sie immerfort, »ich fürchte, Ihr werdet nicht satt und müßt hungrig ins Bett gehen.«

Dabei futtern die Wawuschels jedesmal so viel, daß sie beinahe platzen, und die Wawuschelmutter selbst ist rund wie eine kleine Kugel. Aber die Marmelade, die sie kocht, schmeckt auch ganz besonders gut. Vor allem die Tannenzapfenmarmelade.

Die Wawuschelmutter ist die einzige Frau auf der Welt, die Tannenzapfenmarmelade kochen kann, herrliche braune, dicke, süße, klebrige Tannenzapfenmarmelade.

Besonders der Wawuschelvater ist ganz versessen darauf. Wenn man ihn fragt, was er essen möchte, dann antwortet er wie aus der Pistole geschossen: »Tannenzapfenmarmelade!« Und dabei braucht er nicht einmal von seiner Fibel aufzusehen.

Der Wawuschelvater sitzt sehr oft über seiner Fibel. Immer, wenn er nicht gerade im Wald nach Gerümpel sucht oder in der Wohnung herumhämmern muß, legt er sie auf den Tisch und steckt die Nase hinein. Er hat die Fibel vor langer Zeit einmal im Wald gefunden. Nun will er unbedingt lesen lernen, damit er herausbekommt, was in dem dicken Zauberbuch der Wawuschelgroßmutter steht.

Aber der Wawuschelvater hat, was Lesen anbelangt, leider einen harten Kopf. In seinen Kopf gehen Buchstaben so schwer hinein wie Nägel in eine Felswand. »OTTO«, kann er buchstabieren, »HUT« und »DIE KUH FRISST«. Mehr hat er noch nicht gelernt, und nicht einmal die gute Wawuschelmutter glaubt, daß er jemals in dem dicken Zauberbuch lesen kann.

Manchmal, wenn er übt, stellt Wischel sich neben ihn. Sie kaut auf einem ihrer grünen Zöpfe und versucht, etwas aufzuschnappen.

Aber der Wawuschelvater schiebt sie jedesmal beiseite.

»Du störst mich«, sagt er streng, »was ich nicht lernen kann, begreifst du erst recht nicht.«

Dabei würde Wischel für ihr Leben gern lesen lernen.

Auch Wuschel ist sehr gespannt darauf, was in dem dicken Zauberbuch steht, obwohl er selbst niemals einen Buchstaben anguckt.

»Nimm dir doch einfach die Fibel, wenn Vater im Wald ist«, sagt er immer wieder zu Wischel. »Wenn du lesen kannst, dann könnten wir zaubern. Stell dir vor, einen ganzen Kessel voll Marmelade...« Aber Wischel schüttelt den Kopf. Sie ist viel zu brav dazu. Selbst, wenn Wuschel die Fibel hin und wieder stibitzt und ihr bringt, rührt sie sie nicht an.

»Angsthase!« sagt er dann jedesmal voll Verachtung, »du bist der größte Angsthase auf der Welt. Bloß deswegen können wir niemals zaubern.« Und sehnsüchtig blickt er auf das dicke Zauberbuch.

Das dicke Zauberbuch gehört der Wawuschelgroßmutter. Die Wawuschelgroßmutter ist so klein und dürr, daß sie nicht spricht, sondern nur noch piepst. Das Buch hat sie von ihrer Großmutter geerbt, die es auch wieder von einer Großmutter bekommen hat. Es ist

ein ururaltes Zauberbuch. Zaubersprüche für
alle Gelegenheiten sollen darin stehen. Wenn
die Wawuschels doch nur lesen könnten!
Dann wären sie bestimmt die größten Zauberer weit und breit. Aber die Wawuschelgroßmutter hat seit langem vergessen, wie man
liest, und der Wawuschelvater hat es noch
nicht gelernt. Das dicke Zauberbuch nützt ihnen leider gar nichts.

Im Gegenteil, es hat schon oft Unheil ange-
richtet. Bis vor kurzem nämlich glaubte die
Wawuschelgroßmutter felsenfest, daß sie

eine Menge Zaubersprüche auswendig wisse. Immer wieder hat sie versucht, auswendig zu zaubern. Es war aber jedesmal ein grausiges Kuddelmuddel, das sie dabei vor sich hinpiepste, ein richtiger Zaubervers-Salat. Weil sie nicht lesen kann, schlug sie außerdem auch noch die falsche Seite im Zauberbuch auf und legte den Finger auf den falschen Spruch. Und dann kam der größte Unfug heraus. Ja, auch zaubern will gelernt sein. Man muß es können, und bei den Wawuschels sieht es sehr schlecht damit aus.

Am ärgerlichsten ist deswegen der Wawuschelonkel. Er läßt sich nicht davon abbringen, daß es in dem Zauberbuch einen Spruch gibt, mit dem man Tabak herbeizaubern kann, und diesen Tabak möchte er gar zu gern haben.

Der Wawuschelonkel ist ein Miesepeter. Nur dann hat er leidlich gute Laune, wenn er an seiner langen Pfeife schmauchen kann, und er weiß nie, wo er genug Tabak herbekommen soll. Draußen vor dem Berg hat er zwar ein kleines Tabakfeld. Aber leider macht es eine Menge Arbeit, den Tabak zu pflanzen, zu pflücken, zu trocknen und zu schneiden, sehr viel Arbeit. Und Arbeit ist für die Laune des Wawuschelonkels ganz besonders schädlich. Außerdem ahnen die Menschen, die draußen spazierengehen, nicht, daß dort ein Feld mit Wawuscheltabak liegt. Wenn der Wawuschelonkel Pech hat, trampeln sie mitten hindurch und verderben seinen ganzen Tabak. Dann muß er Tannennadeln oder dürres Laub in seine Pfeife stopfen, und das ist für seine Laune das allerschlimmste. Er sitzt da mit krummem Rücken, macht ein unglückliches Gesicht und grunzt und brummt vor sich hin: »Scheußlicher Tabak, scheußlicher Tabak, scheußlicher Tabak.«

Und vor lauter schlechter Laune fällt ihm ein grünes Haar nach dem anderen aus.

Deswegen sind die Wawuschels immer sehr besorgt, wenn der Onkel schlechte Laune hat. Jedes Haar, das ihm dabei ausfällt, kann nicht mehr leuchten, und in dem dunklen Berg kommt es auf jedes Haar an.

Aus lauter Furcht, daß dem Wawuschelonkel womöglich alle Haare ausfallen könnten, hat die Wawuschelgroßmutter sogar schon versucht, einen Sack Tabak für ihn zu zaubern. Aber natürlich ist es schiefgegangen. Einen Sack, ja, den hat sie herbeigezaubert. Aber was war darin?

Kein Tabak, sondern Heuschrecken!

Kaum hatte der Wawuschelonkel den Sack

aufgemacht, da sprang und hüpfte es in Scharen heraus. Die Wawuschels hatten, ehe sie sich's versahen, eine Heuschreckenplage auf dem Hals. Tagelang mußten Wuschel und Wischel herumkriechen und Heuschrecken fangen, und die arme Wawuschelmutter mußte einen Kessel voll feinster Brombeermarmelade fortschütten, weil mindestens fünf Dutzend Heuschrecken hineingehüpft waren.

Die Wawuschelgroßmutter aber schwor, nie wieder zu zaubern, niemals wieder!

Diesen Schwur hat sie auch bis jetzt gehalten, obwohl es ihr und den anderen manchmal schwerfiel.

Und nun saßen die Wawuschels zusammen in ihrem Berg und horchten. Sie saßen um den Tisch herum und machten bedepperte Gesichter. Nur die Wawuschelmutter saß nicht mit am Tisch. Sie stand beim Herd und rührte Marmelade. Aber auch sie machte ein bedeppertes Gesicht.

»Bumbumbum«, tönte es durch den Berg, »bumbumbum.«

»Hört ihr es?« sagte der Wawuschelvater, »da ist es wieder.«

»Ja«, jammerte die Wawuschelmutter.

»Ja«, piepste die Wawuschelgroßmutter.

»Ja«, grunzte der Wawuschelonkel, »und meine Pfeife schmeckt überhaupt nicht.«

»Ja«, nickten auch Wuschel und Wischel.

»Bumbumbum«, machte es wieder, »bumbumbum.«

»Was mag das bloß sein?« jammerte die Wawuschelmutter, »seit drei Tagen bumst es nun schon. Ob sich etwa ein Riese durch den Berg wühlt?«

»Riesen gibt es nicht mehr«, grunzte der Wawuschelonkel schlecht gelaunt, »sie sind schon lange ausgestorben. Das solltest du wissen.« Er schüttelte den Kopf über soviel Unverstand. Dabei fielen ihm wieder drei grüne Haare aus und verloschen.

»Aber was ist es denn bloß?« piepste die Wawuschelgroßmutter, »wir wohnen doch schon immer und immer hier im Berg, und noch nie hat etwas gebumst.«

Sie schwiegen und horchten. »Bumbumbum«, machte es, »bumbumbum.«

»Wir müssen unbedingt herausbekommen, was da bumst«, sagte der Wawuschelvater. »Wuschel, Wischel, kommt mit. Wir drei wollen ein bißchen im Berg herumkriechen und der Sache auf den Grund gehen.«

Wuschel und Wischel sprangen vergnügt auf – und sprangen plötzlich viel höher, als sie wollten. Sie hüpften fast bis an die Stubendecke, so, als hätte sie jemand hochgeblasen.

Gleichzeitig hüpfte auch die Bank in die Höhe, und die Stühle, auf denen die anderen saßen, hüpften in die Höhe, und der Tisch, die Schränke, alles hüpfte in die Höhe. Dazu dröhnte ein gewaltiger Donner durch den Berg: krachabumssakracharachabums! Als der Donner ausgegrollt hatte, gab es noch einmal einen Knall. Dieser Knall stammte vom Küchenherd. Er war besonders hoch in die Luft gehüpft und beim Herunterfallen in tausend Stücke zersprungen.

Einen Moment saßen die Wawuschels da und rührten sich nicht. Nur Wischel verkroch sich blitzschnell unter ihrem Bett.

Dann grunzte der Wawuschelonkel so tief, als säße er im Keller: »Ein Erdbeben! Wo ist meine Tabakspfeife?«

»Das ist schrecklich«, jammerte die Wawuschelmutter.

»Was sollen wir tun?« piepste die Wawuschelgroßmutter und schlug unentwegt die Hände über dem Kopf zusammen.

»Ruhig bleiben«, sagte der Wawuschelvater. »Es ist schon vorbei. Unser Berg hält viel aus. Zum Glück ist kaum etwas passiert.«

Aber da jammerte die Wawuschelmutter laut auf.

»Nichts passiert! Nichts passiert, sagst du? Mein Herd ist kaputt. Mein schöner, lieber, guter Herd! Worauf soll ich jetzt unsere Marmelade kochen? O jemine, o jemine, wir müssen alle verhungern.«

Die Wawuschelmutter hatte recht. Der kaputte Herd, das war das Schlimmste. Solange die Wawuschels denken konnten, hatte die Wawuschelmutter Marmelade darauf gekocht. Wo sollten sie jetzt einen neuen herbekommen?

»Großmutter kann doch einen Herd zaubern«, schlug Wischel vor, die wieder unter dem Bett hervorgekrochen war.

»O ja, fein!« rief Wuschel.

Er fand es herrlich, wenn gezaubert wurde, trotz der Heuschrecken. Aber die Großmutter wollte auf keinen Fall zaubern. Sie schlug die Hände über dem Kopf zusammen und piepste, daß sie ihren Schwur halten würde, komme, was da wolle.

»Und unser Herd?« jammerte die Wawuschelmutter, »wir brauchen doch einen Herd. Weißt du denn wirklich keinen Zauberspruch für einen Herd?«

Die Wawuschelgroßmutter dachte nach.

»Doch«, piepste sie, »ich glaube, mir fällt ein Herd-Zauberspruch ein:

Feuer, Feuer, Feurio,
heiz den Kessel so und so,
brenne warm und lichterloh
Feuer, Feuer, Feurio.«

»Fein«, sagte der Wawuschelvater, »dann kannst du uns ja einen neuen Herd zaubern, Großmutter.«

Aber die Wawuschelgroßmutter piepste energisch:

»Nein, nein und nein, ich tu es nicht. Wo ich doch nicht die richtige Stelle im Zauberbuch weiß! Wenn ich nun den Finger auf den falschen Spruch lege? Womöglich brennt dann unsere ganze Stube ab.«

Die Wawuschelmutter fing sofort wieder an zu jammern.

»Bloß nicht, Großmutter, bloß nicht. Lieber wollen wir niemals wieder unsere gute Marmelade essen. Ach, Vater, warum hast du noch nicht lesen gelernt?«

Der Wawuschelvater murmelte etwas und bekam einen roten Kopf, so sehr schämte er sich. Dann standen alle betrübt um den kaputten Herd herum. Da lag er, in tausend Stücke zerplatzt. Nur die eiserne Platte war ganz geblieben, aber die nützte ihnen auch nichts.

Weil sie wenigstens irgend etwas tun wollten, trugen sie die Trümmer in den Wald hinaus und räumten die Stube auf. Nur der Wawuschelonkel half nicht dabei. Er bekam vom Arbeiten immer viel zu schlechte Laune.

Danach setzten sie sich wieder um den Tisch herum und starrten auf die kahle Stelle, wo früher all die schöne Marmelade gekocht worden war. Jetzt gähnte nur noch das Ofenrohr in die Luft. Es sah so traurig aus, daß die Wawuschels vor lauter Kummer alle Marmelade aufaßen, die noch im Topf war, alles, bis auf den letzten Rest.

»Hach, bin ich satt«, sagte der Wawuschelvater schließlich.

»Ich auch«, piepste die Wawuschelgroßmutter.

»Und was essen wir morgen?« jammerte die Wawuschelmutter.

»Wenn ich doch nur ein bißchen guten Tabak hätte«, grunzte der Wawuschelonkel.

In diesem Moment fing es wieder an:

Bumbumbum, bumbumbum!

Aber die Wawuschels waren zu satt und zu müde, um sich noch länger aufzuregen.

»Morgen sehen wir nach, was los ist«,

gähnte der Wawuschelvater, »jetzt gehen wir erst einmal schlafen.«

Sie setzten ihre Nachtmützen auf, damit die grünen Haare nicht mehr leuchteten. Dann legte sich jeder Wawuschel in sein Bett.

2. Kapitel

Feuer, Feuer, Feurio

In der Wawuschelstube war es dunkel, und die Wawuschels schnarchten. Jeder von ihnen schnarchte auf seine eigene Art. Der Wawuschelonkel grunzte wie ein Wildschwein. Bei der Wawuschelgroßmutter klang es hoch und piepsig, und die Wawuschelmutter jammerte mit jedem Schnarchton ein bißchen vor sich hin, so, als müsse sie sich sogar im Schlaf um ihre Familie sorgen. Der Wawuschelvater dagegen schnarchte genau so schön gleichmäßig und normal, wie die meisten Väter schnarchen.

Nur in dem Bett, wo Wuschel und Wischel schliefen, schnarchte es nicht. Dort flüsterte und wisperte es.

»Wuschel!« flüsterte Wischel, »schläfst du?«

»Nein«, flüsterte Wuschel, »kein bißchen. Du etwa?«

»Nein, ich auch nicht. Ich hab solche Angst. Was ist es denn bloß, was immer so bumst?«

»Ich hab auch Angst«, flüsterte Wuschel, »ich hab Angst, daß wir nie mehr Marmelade zu essen kriegen. Ohne Marmelade macht alles keinen Spaß mehr. Denk doch nur an unsere gute Himbeermarmelade!«

»Und die Brombeermarmelade!«

»Und die Erdbeermarmelade!«

»Und die Heidelbeermarmelade!«

»Und die Preißelbeermarmelade!«

»Und die Tannenzapfenmarmelade!«

Beide schwiegen. Sie dachten an all die gute Marmelade, die die Wawuschelmutter gekocht hatte.

»Wenn die Großmutter doch bloß einen Herd zaubern würde«, flüsterte Wuschel. »Daß große Leute auch immer solche Angst haben müssen...«

»Hättest du keine Angst, daß die Stube abbrennt?« flüsterte Wischel.

Wuschel schüttelte den Kopf.

»Ich hab bloß Angst, daß wir keine Marmelade mehr bekommen. Ohne Marmelade macht es wirklich keinen Spaß mehr.«

Sie schwiegen wieder und dachten an die großen Marmeladetöpfe, die immer auf dem Tisch gestanden hatten, und die jetzt alle leer waren. Nach einer Weile flüsterte Wischel:

»Du Wuschel, ich hab den Zauberspruch behalten, den Großmutter gesagt hat!

Feuer, Feuer, Feurio,
heiz den Kessel so und so,
brenne warm und lichterloh,
Feuer, Feuer, Feurio.«

»Du bist aber wirklich schlau, Wischel«, flüsterte Wuschel bewundernd, »ich könnte so einen Spruch nie behalten.«

»Dafür hast du keine Angst«, flüsterte Wischel.

»Hm«, flüsterte Wuschel, »das stimmt.«

Dann setzte er sich mit einem Ruck im Bett auf.

»Wenn du den Spruch weißt, Wischel – dann könntest du – dann könnten wir beide doch einen Herd zaubern.«

Wischel setzte sich ebenfalls auf.

»Nein, nein!« flüsterte sie erschrocken, »bloß nicht, Wuschel. Wir wissen doch nicht, auf welcher Seite der Spruch im Zauberbuch steht – und wenn wir den Finger auf die falsche Stelle halten – und wenn es dann womöglich brennt...«

»Hätt ich mir denken können«, flüsterte Wuschel ärgerlich, »immer Angst, immerzu Angst, bloß immer Angst.«

»Ist egal«, flüsterte Wischel, »ich tu's nicht.«

Sie wollte sich wieder hinlegen, aber Wuschel hielt sie am Arm fest.

»Und unsere Marmelade! All die gute Marmelade!«

Es klang so verzweifelt, daß es Wischel richtig weh tat. Wischel hatte ihren Bruder sehr lieb, und daß es für ihn keine Marmelade mehr geben sollte, fand sie schrecklich.

»Du, Wuschel«, flüsterte sie.

»Hm?«

»Du, Wuschel, Feuer fängt doch mit einem F an, nicht?«

Wuschel hatte keine Ahnung, womit Feuer anfängt. Aber Wischel war ganz sicher.

»Mit einem F. Wie ein F aussieht, weiß ich genau. Vater liest in seiner Fibel doch immer: DIE KUH FRISST. FRISST fängt auch mit einem F an, genau wie Feuer. Wenn wir nun in dem Zauberbuch ein F suchen?«

»Oh!« machte Wuschel nur, »Oh!«

Er war beinahe sprachlos über Wischels Schlauheit.

Aber dann hatte er es furchtbar eilig.

»Los, schnell! Wir fangen gleich an!«

Wischel hielt ihn fest.

»Und das Zauberbuch? Wie sollen wir an das Zauberbuch kommen?«

Das Zauberbuch!

Du liebe Zeit, wie sollten sie an das Zauberbuch kommen! Das Zauberbuch, das im Bett der Wawuschelgroßmutter lag!

Denn die Wawuschelgroßmutter nahm ihr dickes Zauberbuch jeden Abend mit ins Bett und steckte es unter ihren Kopf. Morgens tat ihr dann zwar immer der Kopf weh von diesem harten Kissen, aber sie nahm es trotzdem wieder mit ins Bett. Das Zauberbuch war ihr wichtiger als ihr Kopf.

Wuschel gab sich einen Ruck.

»Ich hole es.«

»Aber nein«, flüsterte Wischel ängstlich, »wenn die Großmutter wach wird . . .«

Sie horchten zu dem Bett hinüber, wo die Wawuschelgroßmutter lag und piepsend vor sich hin schnarchte.

»Ich hole es«, flüsterte Wuschel noch einmal. »Mir wird schon etwas einfallen. Jedenfalls, wenn wir Marmelade essen wollen, müssen wir einen Herd zaubern, und zum Zaubern brauchen wir das Zauberbuch, und deshalb müssen wir es holen. Also los.«

So leise er konnte, schlüpfte er aus dem Bett und kroch durch die dunkle Stube, dorthin, woher das piepsige Schnarchen kam. Vorsichtig tastete er nach dem Buch. Er zog ein bißchen daran, wartete und horchte. Die Wawuschelgroßmutter schnarchte ruhig und gleichmäßig, ein Zeichen, daß sie fest schlief. Wuschel zog wieder an dem Buch, noch einmal, noch ein bißchen. Bei jedem Mal zog er es weiter unter dem Kopf hervor.

»Gleich hab ich's«, dachte er.

Aber kaum hatte er das gedacht, da gab es einen Ruck. Die Wawuschelgroßmutter! Piepsend fuhr sie in ihrem Bett hoch.

»Diebe!« piepste sie so laut, wie sie nur piepsen konnte, »Hiiiilfe! Diiiiebe!«

Der Wawuschelvater und der Wawuschelonkel schnarchten weiter. Wenn sie einmal

schnarchten, schnarchten sie und waren nicht so leicht wachzupiepsen.

Nur die Wawuschelmutter hatte das Piepsen gehört.

»Was ist denn los?« jammerte sie schlaftrunken.

»Diebe!« piepste die Wawuschelgroßmutter, »sie wollten mir mein Zauberbuch unter dem Kopf wegstehlen. Diebe sind in der Stube.«

»Aber nein, Großmutter«, sagte die Wawuschelmutter, »das hast du geträumt. Warte, ich mache Licht.«

Sie stand auf und nahm ihre Nachtmütze ab. Gleich wurde es etwas hell in der Wawuschelstube, denn die Wawuschelmutter hatte die allermeisten Haare auf dem Kopf. Ein Glück, daß Wuschel so fix war. Während die Großmutter piepste, war er schnell in sein Bett zurückgehuscht und hatte die Nase unter die Decke gesteckt.

»Du hast geträumt, Großmutter«, sagte die Wawuschelmutter noch einmal, »und soll ich dir sagen, warum? Weil dein Kopf auf dem harten Zauberbuch gelegen hat. Bei uns im Berg waren noch nie Diebe. Wo sollen die herkommen? Du tust jetzt dein Buch hier auf den Tisch, damit du nicht wieder schlecht liegst und einen bösen Traum hast. Und ich gebe dir Baldriantropfen und dann schlafen wir alle wieder.«

Die Wawuschelgroßmutter piepste zwar ärgerlich, aber dann ließ sie es doch zu, daß die Wawuschelmutter das Buch auf den Tisch legte. Sie nahm sogar die Baldriantropfen, und es dauerte nicht lange, da schnarchten sie und die Wawuschelmutter wieder vor sich hin, die eine piepsig, die andere jammernd.

Wuschel und Wischel hatten inzwischen kaum gewagt, Luft zu holen. Wenn das schiefgegangen wäre!

»Hach, Wuschel, hab ich Angst gehabt«, flüsterte Wischel, »du auch?«

»Kein bißchen«, behauptete Wuschel, »ich bin doch nicht du! So, jetzt schnappen wir uns das Zauberbuch und fangen endlich an, einen neuen Herd zu zaubern.«

»Hast du immer noch nicht genug?« jammerte Wischel, »wenn Mutter wach wird!«

Aber Wuschel ließ sich nicht halten.

»Sie wird nicht wach. Höchstens, wenn einer schreit. Du schreist doch nicht etwa?«

»Nein«, sagte Wischel zaghaft.

»Na also, dann komm. Denk an die Marmelade.«

Vorsichtig krochen sie aus dem Bett. Wuschel tappte zum Tisch und nahm das Zauberbuch. Dann schlichen sie zur Tür und öffneten sie leise. Zum Glück hatte der Wawuschelvater sie gerade frisch geölt. Wenn sie noch so laut geknarrt hätte wie am Tage zuvor, wäre bestimmt die Wawuschelmutter aufgewacht. Aber so schnarchte sie friedlich weiter.

Wuschel und Wischel horchten noch eine Weile, dann machten sie die Tür wieder ebenso leise zu.

Jetzt standen sie draußen im Vorraum, einer großen, runden Höhle, von der ein schmaler Gang aus dem Berg hinaus führte. Die Höhle war zum Himmel hin offen. Am Tag schien die Sonne herein und schickte ihr Licht in die Wawuschelwohnung. Auch wenn der Mond schien, war die Höhle hell. Heute nacht schien der Mond.

»So«, sagte Wuschel, »hier bleiben wir. Hier können wir zaubern.«

»Wollen wir nicht lieber in den Wald gehen«, wandte Wischel ein, »wenn uns die Mutter erwischt...«

»Sie schnarcht«, sagte Wuschel. »Womöglich zaubern wir einen so großen Herd, daß er nicht durch den Gang hindurchpaßt. Nein, wir bleiben hier. Schnell, Wischel, such den

Buchstaben für Feuer. Wie hieß er noch? Meinst du, daß du ihn findest?«

»F heißt er«, sagte Wischel, und sie fing an, in dem Zauberbuch zu blättern und ein F zu suchen.

Es war gar nicht einfach, vor allem, weil Wischel nicht richtig lesen konnte. So viele Zaubersprüche standen in dem dicken Buch – wo sollte da bloß ein F stecken? Wischel blätterte und blätterte und suchte und suchte.

Dann hatte sie es!

»Ein F! Hier, Wuschel, ich glaube bestimmt, das ist ein F. Was meinst du?«

Wuschel zuckte die Schultern.

»Keine Ahnung. Das ist deine Sache. Bist du sicher, daß es ein F ist?«

»Ich glaube«, sagte Wischel zaghaft, »so ziemlich.«

»Dann leg den Finger darauf und sag den Zauberspruch.«

Wischel zog ängstlich den Kopf ein.

»Wenn das nun schiefgeht? Wenn nun wirklich alles anfängt zu brennen?«

»Du bist ja manchmal ganz schlau«, sagte Wuschel streng, »aber leider sehr feige und ein Angsthase. Na ja, Mädchen.«

Wischel wollte anfangen zu heulen, aber Wuschel sagte noch strenger: »Brüll nicht.

Zaubere lieber. Du willst doch Marmelade essen?«

Wischel legte den rechten Zeigefinger auf das F.

»O je«, rief sie und zog ihn gleich wieder fort, »jetzt hab ich einen Marmeladefleck in das Buch gemacht. Wie kommt denn das?«

»Weil du dir die Hände nicht gewaschen hast«, sagte Wuschel, »und jetzt fang endlich an!«

Wischel schluckte dreimal und fing an zu zaubern:

> »Feuer, Feuer, Feurio,
> heiz den Kessel so und so,
> brenne warm und lichterloh,
> Feuer, Feuer, Feurio.«

Da begann es zu grollen und zu donnern und zu blitzen, so hell, daß Wuschel und Wischel schnell die Augen zumachten.

»Jetzt brennt es«, dachte Wischel, »jetzt haben wir den Berg angezündet.«

Aber als sie die Augen wieder aufmachte, waren nur drei kleine, flackernde Flämmchen zu sehen.

Hatte sie vielleicht doch einen Herd gezaubert?

Sie sah genauer hin – und vor Schreck hätte sie sich beinahe hingesetzt.

»Wuschel!« wisperte sie, »Wuschel, was ist denn das?«

Aber Wuschel hatte es schon gesehen, und diesmal war sein Schreck nicht kleiner als Wischels. Auch Wuschel hätte sich beinahe hingesetzt.

Denn vor ihnen auf der Erde stand kein neuer Herd.

Dort lag ein Tier. Ein seltsames Tier. Ein Tier, wie sie noch nie eins gesehen hatten.

Das Tier war kohlpechrabenschwarz, es hatte acht Beine mit breiten Klauen, es hatte

ein Paar Flügel, und es hatte – tatsächlich, es hatte drei Köpfe. Drei Köpfe mit Augen, Nasenlöchern und Mäulern. Aus jedem der drei Mäuler flackerte ein Flämmchen.

»Ein Ungeheuer!« flüsterte Wischel entsetzt, und Wuschel wiederholte: »Ein Ungeheuer!«

Aber da fing das Tier plötzlich zu sprechen an. Es streckte ihnen einen Kopf entgegen, klapperte mit den Augen und fauchte weinerlich:

»Nein, ich bin kein Ungeheuer! Ich bin ein freundlicher Drache. Ich tue niemandem etwas zuleide. Bitte, bitte, seid doch nett mit mir.«

»Ein Drache?« riefen Wuschel und Wischel gleichzeitig aus, »ein richtiger Drache? Gibt es denn überhaupt noch Drachen?«

»Natürlich, ihr seht doch, daß es mich gibt«, fauchte der Drache, »und bitte, bitte, seid ein bißchen nett mit mir. Könnt ihr mich nicht ein bißchen am Rücken kraulen? Ich hab Kraulen so gern.«

Es klang so flehentlich, daß Wischel Mitleid bekam, trotz ihrer Angst. Sie ging näher an den Drachen heran, streckte vorsichtig den Arm aus und kraulte den Drachenrücken. Wirklich, es schien ihm zu gefallen. Er legte

33

sich platt auf die Erde und schnurrte zufrieden wie eine Katze.

»Wo kommst du eigentlich her?« erkundigte sich Wuschel.

»Aus einem Berg«, schnurrte der Drache. »Tausend Jahre war ich in einer Höhle eingeschlossen. Ein Felsen war vor den Eingang gefallen, und ich konnte nicht heraus. Aber eben, da hat es auf einmal einen Knall gegeben, und ich bin durch die Luft geflogen, und nun bin ich hier. Bitte, bitte, jagt mich nicht wieder fort. Ich bin so glücklich, wenn ihr mich krault.«

»Wir haben gezaubert«, erklärte Wuschel. »Eigentlich wollten wir ja einen Herd zaubern, zum Marmeladekochen.«

»Und ich«, sagte Wischel, »ich habe gleich gesagt, wir wollen lieber nicht zaubern, weil doch bloß Unfug dabei herauskommt. Jetzt haben wir keinen Herd, sondern einen Drachen, und wenn Mutter das sieht...«

»Bitte, bitte, schickt mich nicht wieder fort«, fauchte der Drache weinerlich, »ich möchte so gern Freunde haben, die mich kraulen.«

»Ja, ja«, sagte Wuschel, »aber unser Herd? Und unsere Marmelade? Auf dir können wir doch nicht kochen.«

Wischel hörte auf, den Drachen zu kraulen.

»Wuschel! Ich hab's! Warum eigentlich nicht?«

»Was warum nicht?«

»Warum können wir nicht auf dem Drachen kochen? Aus seinen Mäulern kommen doch Flammen!«

»Ich atme Feuer aus«, fauchte der Drache, »leider. Ich kann nichts dafür, das ist bei Drachen nun mal so. Aber es qualmt nicht und es stinkt nicht. Es ist bloß schön warm.«

»Aber gerade das brauchen wir doch!« rief Wischel und sprang vor Freude, daß sie eine so gute Idee hatte, in die Luft. »Warmes Feuer, das wollten wir doch zaubern. Würdest du Mutter erlauben, daß sie Marmelade auf deinen Flammen kocht?«

Der Drache nickte mit allen drei Köpfen.

»Wenn es nicht weh tut? Und wenn ihr mich krault?«

Jetzt hatte auch Wuschel eine Idee.

»Wir haben doch noch die eiserne Platte von unserem alten Herd. Die machen wir mit Ketten an der Decke fest, und der Drache legt sich darunter und bläst sein Feuer dagegen. Dann wird die Platte warm, und wir haben einen feinen Herd.«

»Ja!« rief Wischel, »und ich kraule dich immerzu, Drache.«

»Und ich...«, fauchte der Drache.

Aber er konnte den Satz nicht zu Ende fauchen. Mitten darin mußte er niesen. Hatschi, hatschi, hatschi!

Es klang ziemlich laut, weil gleich drei Nasen auf einmal niesten.

»Ich glaube, ich habe mich ein bißchen erkältet«, fauchte er, und dann ging es noch einmal los: Hatschi, hatschi, hatschi!

»O je«, meinte Wischel erschrocken, »wenn das bloß Mutter nicht gehört hat.«

Aber die Wawuschelmutter hatte es gehört.

Die Tür ging auf, und da stand sie schon. Entgeistert starrte sie den Drachen an.

»Du meine Güte, wie kommt denn dieses Ungeheuer in unser Haus?« jammerte sie und geriet so aus der Fassung, daß der Drache einen Schreck bekam und zu weinen anfing. Aus allen sechs Augen tropften ihm dicke Tränen. Schluchzend erklärte er, daß er ein freundlicher Drache sei und als Herdfeuer bei den Wawuschels bleiben wolle.

Das konnte die Wawuschelmutter erst recht nicht verstehen. Wuschel und Wischel mußten ihr immer wieder auseinandersetzen, wie sie den Drachen zu einem Herd umbauen wollten. Es dauerte eine ganze Weile, bis sie den Plan begriffen hatte.

»Ja, das ist eine gute Idee«, nickte sie schließlich, »wenn man es wirklich so machen kann...? Aber sagt doch einmal, Wuschel und Wischel, wie habt ihr den Drachen eigentlich zu uns geholt? Und mitten in der Nacht dazu?«

Ja, da blieb den Wawuschelkindern nichts anderes übrig, als ihrer Mutter alles zu erzählen.

Die Wawuschelmutter – nun, die Wawuschelmutter war zwar sehr lieb und gut, aber sie hatte eine lockere Hand. Wups, flog diese durch die Luft, erst an Wuschels und dann an Wischels Backe.

»So«, sagte die Wawuschelmutter, »das ist dafür, daß ihr das Zauberbuch stibitzt und die arme Großmutter so erschreckt habt. Eigentlich hättet ihr noch mehr verdient. Aber wenn es sich wirklich machen läßt, daß ich auf dem Drachen Marmelade kochen kann...«

»Es geht bestimmt«, druckste Wuschel, und Wischel schluckte: »Wir zaubern auch bestimmt nicht wieder. Paß auf, der Drache wird ein guter Herd. Ich will ihn auch immer kraulen.«

»Na«, sagte die Wawuschelmutter, »dann

geht jetzt endlich zu Bett. Sonst ist die Nacht vorbei, und ihr habt nicht ausgeschlafen.«

Da merkten Wuschel und Wischel, daß sie kaum noch die Augen aufhalten konnten. Schnell krochen sie in ihr Bett, und bald darauf schliefen alle Wawuschels tief und fest.

Der Drache aber lag in einer Ecke und blies warme Flämmchen aus allen drei Mäulern.

3. Kapitel

Ein Herd mit drei Köpfen

Am nächsten Vormittag hatten die Wawuschels viel zu tun. Der neue Herd mußte montiert werden. Alle halfen dabei. Nur der Wawuschelonkel hockte wie üblich in seiner Ecke, zog an seiner Pfeife und schimpfte über den schlechten Tabak. Aber das waren die anderen schon gewöhnt. Keiner kümmerte sich darum. Jeder war viel zu beschäftigt.

Die Wawuschelgroßmutter hatte die alte Herdplatte vor sich auf den Tisch gelegt und putzte sie blitzblank. Sie piepste und ächzte vor Anstrengung und war sehr stolz, wenn sie wieder einen schwarzen Fleck weggeputzt hatte.

Auch die Wawuschelmutter putzte: Sie machte den Marmeladekessel sauber. Denn auf dem neuen, blanken Herd sollte auch ein blitzblanker Kessel stehen.

»O jemine, o jemine«, jammerte sie dabei, »hoffentlich kann man auch wirklich auf dem Drachenherd kochen. Was sollen wir sonst tun?«

Es war nun einmal so: Die Wawuschelmutter mußte immer jammern. Sonst fehlte ihr etwas.

Währenddessen wühlte der Wawuschelvater mit Wuschel und Wischel in seiner Rumpelkammer herum. Der Wawuschelvater nämlich war ein Sammler. Wenn er im Wald spazierenging, um Luft zu schnappen, brachte er alles mit nach Hause, was am Weg lag, ganz gleich, ob er es gebrauchen konnte oder nicht. Die Höhle neben der Wawuschelwohnung war mit allem möglichen Krimskrams vollgestopft: mit leeren Flaschen, Konservendosen, Drahtstückchen, Papierschnitzeln, Glühbirnen, zerlöcherten Schuhen, und was es sonst noch alles gibt. Das Prunkstück war ein zerbeulter Damenhut mit einem ganzen Papierblumengarten darauf.

Die Wawuschelmutter fing jedesmal laut an zu jammern, wenn der Wawuschelvater wieder mit neuem Gerümpel heimkam.

»Es kommt noch soweit, daß wir keinen Platz mehr haben und ausziehen müssen, nur wegen dieses alten, schmutzigen Krams«, jammerte sie.

Aber der Wawuschelvater ließ sie jammern und machte was er wollte. Er war sehr stolz auf sein Gerümpel und nur traurig, daß er zu klein war, um auch all die alten Matratzen und Fahrräder und Autoreifen abzuschleppen, die im Wald herumlagen.

»Irgendwann kann man alles gebrauchen«, brummelte er höchstens, und damit hatte er sogar recht.

Zum Beispiel heute!

Da suchte er mit Wuschel und Wischel so lange in seinen Schätzen herum, bis sie vier Haken und vier Ketten gefunden hatten.

Die Haken schlug der Wawuschelvater in die Stubendecke. Das war nicht einfach. Er mußte es sehr geschickt anstellen, um die Haken hineinzubekommen. Aber Haken einschlagen konnte er. Überhaupt konnte er viel, beinahe alles – nur nicht lesen lernen.

An die Haken wurden die Ketten gehängt, an die Ketten die Herdplatte, und dann konnte der Drache darunterkriechen. Er legte sich gemütlich hin und fauchte, und als Wischel ihn kraulte, kamen die schönsten Flammen aus seinen drei Mäulern. Die heizten die Platte, wie es vorher das Herdfeuer getan hatte.

»Was für ein schöner Herd«, piepste die Wawuschelgroßmutter, »und so schön blank.«

»Ja, ja, ein guter Herd«, grunzte sogar der

Wawuschelonkel, und der Wawuschelvater meinte:

»Was für ein Glück, daß uns der Drache zugeflogen ist.«

Wuschel und Wischel zogen die Köpfe ein und blickten zur Wawuschelmutter hinüber. Doch die Wawuschelmutter sagte nichts. Sie hatte ihnen zwar ein paar tüchtige Ohrfeigen gegeben, aber verraten hatte sie bis jetzt kein Wort von der Zauberei. Der Wawuschelvater, die Wawuschelgroßmutter und der Wawuschelonkel glaubten, der Drache sei ihnen zugeflogen. Und ein bißchen stimmte das ja auch.

»Hast du keinen Hunger, Drache?« erkundigte sich die Wawuschelmutter. »Was magst du denn fressen?«

»Ich fresse nichts«, fauchte er, »Drachen brauchen nichts zu fressen. Ich möchte nur gekrault werden, das reicht.«

Nun, das fand die Wawuschelmutter sehr praktisch. Sie hatte sich schon Sorgen gemacht, daß der Drache mit seinen drei Mäulern mehr Marmelade fressen würde, als sie jemals kochen konnte. Auch Wuschel war froh, daß der Drache so genügsam war und ihm nichts wegfressen würde.

Vor lauter Freude setzte er sich neben Wischel und half, den Drachen zu kraulen. Sie kraulten ihn am Rücken und hinter den drei Köpfen, und der Drache wedelte mit dem Schwanz, schnurrte und grinste glücklich mit seinen drei Mäulern. Dabei blies er unentwegt so große Flammen gegen die Herdplatte, daß es im Nu warm und gemütlich in der Wawuschelstube wurde. Denn obwohl draußen die Sommersonne schien, war es drinnen im Berg bei den Wawuschels immer ein wenig kühl und fröstelig.

»Jetzt ist es wieder gemütlich bei uns«, sagte die Wawuschelmutter und vergaß sogar zu jammern.

Sie stellte den blitzblanken Kessel auf die blanke Platte und machte sich gleich daran, Marmelade zu kochen. Himbeermarmelade! Denn Wuschel und Wischel waren schon am frühen Morgen in den Wald gelaufen und hatten zwei Schüsseln voll frischer Himbeeren gesammelt. Und wie das duftete! Allen lief das Wasser im Munde zusammen. Sogar der Drache schnüffelte entzückt durch seine drei Nasen. Er schnüffelte und schnüffelte, und schließlich bat er um eine Kostprobe.

Wuschel bekam es gleich mit der Angst zu tun, daß der Drache womöglich ein begeisterter Marmeladeesser werden könnte. Aber zum Glück spuckte er alles wieder aus.

»Sie schmeckt mir leider nicht«, fauchte er enttäuscht, »schade. Wir Drachen können nun einmal nichts essen. Ich bin froh, daß wir wenigstens riechen können. Hmm! es riecht wirklich wunderbar.« Und er nahm alle drei Nasen voll Marmeladenduft.

»Ja, es ist gemütlich bei uns«, fand auch der Wawuschelvater.

»Sehr, sehr gemütlich«, piepste die Wawuschelgroßmutter.

»Wirklich, ganz gemütlich«, grunzte der Wawuschelonkel, »sogar mein Tabak schmeckt.«

Und gerade als sie das gesagt hatten, ging es wieder los:

Bumbumbum, bumbumbum, bumbumbum.

Dann dröhnte und krachte es wie am Tag zuvor.

Krachabumssakrachabumssakrach!

Die ganze Wawuschelstube wackelte. Die Möbel flogen in die Höhe, die Wawuschels flogen in die Höhe, der Drache flog in die Höhe. Nur die Herdplatte flog nicht hoch, sondern herunter. Die Ketten rissen ab, und die Platte bumste dem armen Drachen mitten auf den mittleren Kopf.

Was für ein Durcheinander! Der Tisch umgefallen, die Bänke und Stühle umgefallen, Marmeladekleckse an den Wänden, und dazwischen das Drachengewimmer:

»O mein Kopf, oh, oh, oh, mein mittlerer Kopf! Oh, oh, oh, ich glaube, mein mittlerer Kopf ist ab.«

Als erste kam die Wawuschelmutter wieder zur Besinnung.

Sie ging zu dem wimmernden Drachen, tröstete und kraulte ihn:

»Nein, nein, Drache, dein mittlerer Kopf sitzt noch ganz fest. Er hat nur eine Beule. Komm her, ich mach dir einen feuchten Umschlag. So, das tut gut, nicht wahr? Wimmere nicht, davon wird es nicht besser. Wischel! Ist dir etwas passiert?«

»Ich glaube nicht«, stöhnte Wischel unter ihrer Bettdecke hervor. Sie war nach dem großen Krach vor Angst in ihr Bett gekrochen.

»Dann komm her und kraule unseren Drachen. Ist sonst noch jemandem etwas passiert?«

»Nei-nein«, piepste die Wawuschelgroßmutter jämmerlich.

»Mir auch nicht«, grunzte der Wawuschel-onkel, »wo steckt denn meine Tabakspfeife?«

»Mir ist auch nichts passiert«, meldete Wuschel.

Nur der Wawuschelvater stöhnte und ächzte und hielt sich sein Hinterteil. Er war damit auf eine Stuhlkante gebumst. Nun konnte er beim besten Willen nicht sitzen, sondern mußte ins Bett und sich auf den Bauch legen.

Die Wawuschelmutter gab ihm Baldrian-tropfen und half dem Onkel, seine Pfeife zu suchen. Denn er verlor vor Ärger und schlechter Laune schon wieder ein Haar nach dem anderen.

Dann, als sie sich um alle gekümmert hatte, sah sie sich in der Stube um.

»Ach, unser Herd, unser schöner neuer Herd!« jammerte sie, »ich konnte so schön darauf kochen, und nun ist er kaputt. Ob du die Platte wieder aufhängen kannst, Vater?«

Aber da fing der Drache an zu fauchen!

»Nein!« fauchte er, »auf keinen Fall! Ich lege mich nicht wieder unter so eine schreck-liche Platte. Das ist mir viel zu gefährlich für meine drei Köpfe.«

»Und wo sollen wir unsere Marmelade ko-chen?« jammerte die Wawuschelmutter.

»Das ist mir egal«, fauchte der Drache. »Nein, es ist mir nicht egal, ich will euch gern helfen, ich will sogar meine drei Köpfe unter den Kessel halten, damit ihr Marmelade kochen könnt. Aber keine Platte! Wenn wieder so ein Bums kommt und die Stube wakkelt...«

»Wenn wieder so ein Bums kommt?« jammerte die Wawuschelmutter, »ja, meint ihr denn, daß es noch öfter bumst?«

»Bis jetzt hat es zweimal gebumst«, sagte der Wawuschelvater düster, »und wenn es zweimal gebumst hat...«

»Dann bumst es bestimmt noch ein drittes Mal«, grunzte der Wawuschelonkel.

»Und ein viertes Mal«, piepste die Wawuschelgroßmutter und schlug die Hände über dem Kopf zusammen.

»Dann hört es womöglich überhaupt nicht auf zu bumsen«, sagte Wuschel, und Wischel vergaß vor Schreck, den Drachen zu kraulen.

»Was sollen wir tun?« fragten die Wawuschels, »was sollen wir nur tun?«

Sie sahen einander an und schüttelten besorgt die Köpfe mit den grünen Haaren.

»Vor allem müssen wir herausbekommen, was da eigentlich im Berg sitzt und bumst«, sagte der Wawuschelvater. »Wäre ich nur gestern gleich losgegangen! Jetzt« – er versuchte sich hinzusetzen – »au! Nein, jetzt kann ich nicht laufen, und schon gar nicht im Berg herumkriechen. Wie ist es, Onkel – ob du wohl . . . ?«

Der Wawuschelonkel grunzte empört.

»Ich alter Mann? Soll ich etwa im Berg herumkriechen, alt und steif, wie ich bin?«

Das hätte man sich denken können. Der Wawuschelonkel und irgend etwas tun! Das einzige, worum er sich kümmerte, war nun einmal seine Pfeife.

Wer blieb noch übrig? Die Wawuschelgroßmutter war zu alt, und die Wawuschelmutter viel zu dick, um in den schmalen Gängen des Berges herumzukriechen. Sie würde bestimmt irgendwo steckenbleiben.

»Wie wär's denn, wenn wir gingen?« fragte Wuschel.

»Wer?«

»Nun, Wischel und ich.«

Wuschel hatte große Lust, im Berg herumzukriechen. Er hatte es noch nie gewagt, weil es allerstrengstens verboten war. Aber heute – da mußte es der Vater erlauben. Wo es doch um die ganze Familie ging!

Der Wawuschelvater schüttelte den Kopf.

»Was, ihr Knirpse? Und ganz allein? Ihr

stellt bloß Unfug an. Kommt nicht in Frage. Basta.«

Und wenn der Wawuschelvater »Basta« sagte, hatte es absolut keinen Zweck, weiterzuquengeln.

»Geht lieber in den Wald, Kinder«, jammerte die Wawuschelmutter, »ihr müßt Beeren suchen. Was sollen wir denn essen?«

Doch nun fing der Drache an zu fauchen.

»Und wer wird mich kraulen? Ich hab es so gern, wenn mich jemand krault. Bitte krault mich doch!«

»Ich kraule dich«, piepste die Wawuschelgroßmutter, »ich kann es auch sehr schön.«

Das wollte der Drache nicht so schnell glauben. Die Wawuschelgroßmutter mußte ihm erst einmal zeigen, wie gut sie kraulen konnte. Aber dann gefiel es ihm. Er schnurrte zufrieden und blies dabei so schöne, gleichmäßige Flammen aus seinen drei Mäulern, daß die Wawuschelmutter probieren wollte, ob man vielleicht auch ohne Herdplatte darauf kochen könne.

»Wenn du den Kessel hältst, Onkel, kann ich rühren«, sagte sie, »komm doch gleich einmal her.«

Das paßte dem faulen Wawuschelonkel natürlich nicht.

»Immer ich«, grunzte er, »immer ich armer, alter Mann.«

»Wer nicht arbeiten will, kriegt nichts zu essen«, rief der Wawuschelvater streng von seinem Bett herüber, und grunzend vor Ärger ging der Onkel zum Kessel und hielt ihn fest.

»Ja, wirklich, es geht«, rief die Wawuschelmutter erfreut, »schnell, Kinder, in den Wald! Sucht recht viele Beeren und seid zu Mittag wieder hier, damit ich schöne Marmelade kochen kann.«

»Hmm«, brummelte Wuschel, und er machte dabei ein Gesicht, das Wischel nur zu gut kannte.

Sie ahnte es schon: Wuschel hatte etwas vor.

4. Kapitel

Am Zazischelsee

Ja, Wuschel hatte etwas vor.

»Weißt du, Wischel«, sagte er, als sie draußen im Vorraum standen, »wir kriechen doch ein bißchen im Berg herum. Wir sind die einzigen, die es können.«

Wischel kaute auf ihrem grünen Zopf.

»Der Vater...«

»Ach, der Vater!« sagte Wuschel, »Vater macht sich immer viel zu viele Gedanken. Was soll schon passieren.«

»Ich will aber nicht«, sagte Wischel.

Wuschel zuckte die Schultern.

»Gut, dann geh ich allein. Einer muß es schließlich tun. Wir können doch nicht zusehen, wie unsere Wohnung zusammenkracht.«

Er sah Wischel von oben herab an, so, als sei er mindestens dreimal so groß und tapfer wie sie.

»Auf Wiedersehen. Geh du nur in den Wald und such Beeren.«

Aber Wuschel allein gehen zu lassen, das brachte Wischel nicht übers Herz. Wenn er ohne sie im Berg herumkroch, machte er noch dreimal soviel Unfug.

»Sind wir denn mittags wieder zurück?«

»Bestimmt«, nickte Wuschel, der immer alles ganz genau wußte.

Und so gingen sie los. Das heißt, sie krochen. Denn schon ein kleines Stück von der Wawuschelwohnung entfernt wurden die Gänge, die sich durch den Berg wanden, so schmal und niedrig wie Mäusewege. Wuschel und Wischel konnten nur auf dem Bauch vorwärtskriechen. Es dauerte auch nicht lange, da hatten sie in dem Gewirr der vielen Gänge die Richtung verloren. Der einzige Wegweiser, dem sie folgten, war das »Bumbumbum«, das immer wieder durch den Berg dröhnte.

Wenn es schwieg, mußten sie stilliegen und warten, bis sie es wieder hörten.

Übrigens klang es schon viel lauter.

»Hoffentlich kracht es nicht wieder«, sagte Wischel jämmerlich, »stell dir vor, Wuschel, wenn es jetzt kracht, und wir sitzen hier mitten im Berg, und der ganze Berg fällt zusammen.«

Wuschel war es selbst nicht geheuer. Aber natürlich zeigte er es nicht.

»Nun jammere bloß nicht. Immer diese Mädchen. Der Berg und zusammenfallen — —«

Er lachte so spöttisch, daß Wischel wieder mehr Mut bekam. Nur gut, daß sie nicht Wuschels Gesicht sehen konnte. Das sah nämlich mindestens ebensowenig zuversichtlich drein wie Wischels Mädchengesicht.

Und dunkel war es! Schrecklich dunkel! So dunkel, daß die grünen Wawuschelhaare gar nichts nützten. Sie leuchteten nicht einmal hell genug, daß Wuschel die kriechende Wischel sehen konnte, oder Wischel die Gestalt von Wuschel. Es war eine undurchdringliche Finsternis ringsherum, und mitten in dieser schwarzen Tinte saßen die Wawuschelkinder.

Aber dann wurde es heller. Der Gang war auf einmal zu Ende. Wischel und Wuschel standen in einer riesengroßen Höhle.

So groß war die Höhle, daß man keine Wände sehen konnte, so groß und hoch.

Wuschel und Wischel blieben erschrocken stehen und faßten sich an. In dieser Höhle war es fast noch unheimlicher als in den dunklen Gängen. Die Luft flimmerte in einem seltsamen bläulich-silbernen Licht. Das Licht aber kam von einem See, der sich breit durch die Höhle zog. Es war ein spiegelglattes Wasser, das sich nicht rührte und gespenstisch leuchtete.

Wuschel und Wischel sahen sich an.

»Ich glaube, wir sind ... es sieht genauso aus wie bei ...«

Wuschel nickte beklommen. Wischel hatte recht. Es sah genauso aus. Genauso wie in der Höhle, die die Wawuschelgroßmutter ihnen geschildert hatte, wenn sie von den Zazischels erzählte.

»Die Zazischels«, hatte sie erzählt, »wohnen tief im Berg in einer gewaltigen Höhle. Mitten durch die Höhle fließt ein blaues Wasser, in dem schwimmen silberne Fische. Die Zazischels haben auch einen Hund mit einem riesigen Schwanz. Das ist ein Windhund. Wenn er mit seinem Schwanz schlägt, gibt es Wind und Wellen auf dem Wasser. Die Fische werden nach oben gewirbelt und die Zazischels können sie fangen. Und wenn irgendein Fremder in ihre Höhle gerät, dann fangen die Zazischels ihn und werfen ihn in das Wasser, als Futter für die Fische. Seht euch nur vor, daß ihr nicht in die Zazischelhöhle geratet.«

Das hatte die Wawuschelgroßmutter oft erzählt, und jedesmal war die Wawuschelmutter ärgerlich geworden.

»Hör auf, Großmutter!« hatte sie dazwischengerufen, »laßt euch nicht bange machen, Kinder. Die Zazischels gibt es längst nicht mehr. Das sind bloß Geschichten.«

Aber die Wawuschelgroßmutter hatte dann nur den Kopf geschüttelt und gepiepst:

»Nein, nein, die gibt es noch irgendwo im Berg. Meine Urgroßtante hat es mir erzählt, und meine Urgroßtante wußte alles.«

Und nun standen Wuschel und Wischel in einer Höhle mit einem blauen Wasser.

Ob die Wawuschelgroßmutter recht gehabt hatte? Ob es die Zazischels wirklich gab?

»Komm, laß uns schnell zurücklaufen«, flüsterte Wischel, »ich hab solche Angst.«

Aber Wuschel hatte seine Furcht schon heruntergeschluckt. Er dachte nicht daran, zurückzulaufen, jetzt, wo sie dem Bumbumbum soviel näher gekommen waren. Es würde sowieso allerlei setzen vom Wawuschelvater, weil sie heimlich im Berg herumkrochen, statt Beeren zu suchen. Wuschel dachte an den Haselstecken im Schrank. Der kam ihm noch gefährlicher vor als alle Zazischels zusammen. Vielleicht würde der Wawuschelvater ihn im Schrank lassen, wenn sie ihm berichten konnten, was es mit der Bumserei auf sich hatte. Nein, zurücklaufen kam für Wuschel nicht in Frage.

»Ich glaube, da liegt ein Boot«, wisperte er, »komm, wir rudern schnell ans andere Ufer, und dann rennen wir weg.«

Sie schlichen näher ans Ufer heran. Wuschel hatte recht. Dort auf dem Wasser lag ein Boot mit zwei Rudern.

Wuschel und Wischel sprangen hinein und ruderten los. Rudern konnten sie zum Glück. In einer Schlucht bei der Wawuschelwohnung gab es einen Tümpel. Wenn die Wawuschelmutter nicht aufpaßte, schleppten Wuschel und Wischel ihren Waschbottich dorthin und benutzten ihn als Ruderboot. Was für einen Krach das jedesmal gegeben hatte! Und wie schlimm wäre es gewesen, wenn sie den Waschbottich nicht genommen hätten. Dann würden sie jetzt nicht rudern können, und Rudern war ihre einzige Rettung.

Das jedenfalls meinte Wuschel, als sie mit ihrem Boot über das Wasser schossen.

»Mutter kann direkt froh sein, daß wir ihr immer den Waschbottich stibitzt haben«, sagte er vergnügt zu Wischel.

Aber Wischel sagte gar nichts. Sie horchte. Denn sie hörte etwas Merkwürdiges.

»Zschzschzsch«, zischelte es hinter ihnen am Ufer, »zschzschzsch.«

Sie legte ihr Ruder hin.

»Wuschel Wuschel, horch einmal! Hörst du das?«

Sie sahen sich um, und da sahen sie die Zazischels. Das heißt, sie wußten nicht, daß es die Zazischels waren. Aber wer sonst sollte es sein? Spindeldürre Wesen, mit Armen, die ihnen bis an die Füße reichten, mit bläulich schimmernden Gesichtern und Köpfen, blank und fahl wie Kieselsteine.

Das mußten sie sein, die schrecklichen Zazischels, von denen die Großmutter erzählt hatte.

»Zschzschzschzsch«, zischelten sie, »zschzschzsch.«

Es hörte sich an wie: »Zurück! Sofort zurück.«

Wuschel und Wischel fingen wieder an zu
rudern. Sie ruderten, was ihre Arme herga-
ben. Denn zurück zu den Zazischels ...?

Da wurde das Zischeln lauter, immer böser
und lauter.

Wuschel und Wischel blickten sich wieder
um. Ein riesiger Hund stand am Ufer.

Der Windhund!

Er schlug mit dem Schwanz, und ein Wind
machte sich auf.

Hui, heulte der Wind, huihui huihui.

Immer zorniger peitschte der Hund seinen Schwanz durch die Luft. Der Wind heulte wilder und das Wasser kräuselte sich und warf Wellen, die höher und höher wurden.

Wuschel und Wischel ruderten verzweifelt gegen die Wellen an. Aber sie schafften es nicht. Das Boot tanzte wie ein Stück Papier darauf herum. Eine große Woge kam, griff nach ihm, warf es auf die Seite – und die Wawuschelkinder lagen im Wasser.

Wischel jammerte laut auf.

»Die Fische! Jetzt kommen die Fische und fressen uns!«

Da wurden sie wieder von einer Welle hochgehoben und vorwärtsgetragen. Sie machten fest die Augen zu, um die Fischmäuler nicht zu sehen. Aber plötzlich war alles trocken ringsherum.

Sie machten die Augen auf. Waren sie etwa schon in einem Fischbauch gelandet?

Nein, sie lagen am Ufer. Sie lagen mitten unter den Zazischels.

»Zschzschzsch«, zischelten die Zazischels und beugten ihre Kieselsteinköpfe über die Wawuschelkinder, »zschzschzsch, Zwazwuschels zmit zgrünen Zhaaren, zwas zwollt zihr zhier, zwas zwollt zihr zhier?«

Wuschel rappelte sich auf. Er gab sich große Mühe, nicht merken zu lassen, wie ihm die Zähne klapperten. Schon Wischels wegen nicht. Denn Wischel lag da und bibberte von den Zehenspitzen bis zu ihren grünen Zöpfen.

»Wir kriechen durch den Berg und wollen nachsehen, was so bumst«, sagte er.

»Zschzschzschzsch«, zischelten die Zazischels, »zlaßt zes zbumsen, zlaßt zes zbumsen, zu zden Zfischen zmit zeuch, zu zden Zfischen zmit zeuch. Zgutes Zfischfutter, zgutes Zfischfutter, zfette Zfische, zfette Zfische.«

Zischelnd griffen sie mit ihren langen, glitschigen Fangarmen nach Wuschel und Wischel.

Wischel wimmerte nur noch vor sich hin. Wuschel aber wand sich mit einer fixen Bewegung heraus.

»Halt!« rief er, »laßt uns los! Fette Fische wollt ihr? Die können wir euch zaubern. Soviel fette Fische, wie ihr wollt.«

»Zaubern«, zischelten die Zazischels, »zaubern? Zwazwuschels zkönnen zaubern? Zaubern Zwazwuschels? Zaubern Zwawuschels, Zschzschzsch?«

Wuschel sagte nichts. Er griff nur unter seine Jacke und holte...

Wischel hörte auf zu wimmern und riß ihre

61

Augen auf. Sie konnte es fast nicht glauben. Was Wuschel aus seiner Jacke herausholte, das triefte zwar vor Nässe, aber trotzdem, es war das dicke Zauberbuch.

»Hier«, sagte er, »das ist unser Zauberbuch. Habt ihr noch nicht gehört, daß die Wawuschels zaubern können?«

»Das weiß doch jeder«, sagte jetzt auch Wischel, »die Wawuschels sind große Zauberer.«

Denn wenn sie mit Wuschel auch kein Wort darüber gesprochen hatte, so wußte sie doch genau, was er vorhatte. Wie gut, daß er der Großmutter das Zauberbuch stibitzt hatte! Es war zwar sehr ungezogen und sie, Wischel, hätte es gewiß nie gewagt, aber trotzdem...

»Was für ein Glück, daß Wuschel nicht so brav ist wie ich«, dachte sie.

Und diesmal war es wirklich ein Glück.

»Zschzschzsch, Zfische zaubern, Zfische zaubern«, zischelten die Zazischels.

»Ja, dicke, fette Fische, soviel ihr wollt.«

Die Zazischels zischelten aufgeregt.

»Zfette Zfische, zviele zfette Zfische? Zaubern, zaubern, zaubern, zgeschwind zaubern, zgeschwind zaubern.«

»Fische fängt mit F an«, sagte Wuschel, »komm, Wischel, such das Wort mit F!«

Er sah Wischel an und kniff das rechte Auge ein wenig zu. Aber das war nicht nötig. Wischel hatte längst alles begriffen.

So schnell es ging, blätterte sie eine Seite nach der anderen um. F, F, F, – – – wo war F?

»Zaubern, zgeschwind zfette Zfische zaubern«, zischelten die Zazischels ungeduldig.

Da! Ein F! Und richtig, das war der Vers, mit dem sie schon einmal gezaubert hatten. Wischel erkannte ihn an dem großen Marmeladefleck mitten auf der Seite.

Sie legte den Finger darauf. Ob es gut ging? Und wenn nicht . . . ?

»Zaubern, zaubern, zgeschwind, zviele zfette Zfische, zschzschzsch«, zischelten die Zazischels immer ungeduldiger.

»Ja, ja, es geht ja schon los«, beruhigte sie Wuschel, »gleich sind die Fische da. Los, Wischel, fang endlich an.«

Und Wischel sagte den Zauberspruch:

»Feuer, Feuer, Feurio,
heiz den Kessel so und so,
brenne warm und lichterloh,
Feuer, Feuer, Feurio.«

Sofort begann es zu donnern und zu blitzen und in der Luft zu rauschen, und der Drache kam angerauscht, der freundliche Drache mit den drei Köpfen.

Er landete auf dem Boden neben Wischel und blies helle Flammen aus seinen drei Mäulern.

Die Zazischels wichen zurück. Sie machten genauso entsetzte Gesichter wie Wuschel und Wischel, als sie den Drachen zum ersten Mal gesehen hatten, und zischelten erschrocken miteinander. Aber natürlich konnte man nie wissen, wie lange ihr Schrecken anhalten würde.

Vor allem der Windhund war gefährlich. Er knurrte, fletschte die Zähne und fing an, mit dem Schwanz zu schlagen.

»Schnell, Drache, schnell, trag uns über den See hinüber«, sagte Wuschel deshalb hastig, »die bösen Zazischels wollen uns in das Wasser werfen, schnell, hilf uns.«

Der Drache blies erst einmal große, feurige Flammen gegen die Zazischels und den knurrenden Windhund. Dann breitete er seine Flügel aus und fauchte:

»Natürlich helfe ich euch. Ihr seid meine Freunde. Ich erlaube nicht, daß diese widerwärtigen Kahlköpfe euch ins Wasser werfen. Steigt auf.«

Wuschel und Wischel kletterten auf seinen

Rücken. Rauschend und fauchend stieg der Drache in die Höhe. Er flog über den See und durch die Höhle hindurch, bis es nicht mehr weiterging. Und weil es eine so große Höhle war, konnten die Wawuschelkinder vom See und den Zazischels nichts mehr sehen.

»Hoffentlich kommen sie nicht hinterhergelaufen«, sagte Wischel.

Aber Wuschel meinte, daß doch das Boot untergegangen sei, und die Zazischels außerdem bestimmt solche Angst vor dem Drachen hätten, daß sie lieber auf ihrer Uferseite blieben.

Er hatte recht. Kein Zazischel ließ sich sehen oder hören. Es war wieder still in der Höhle wie zuvor. Nur »bumbumbum« machte es, »bumbumbum«.

»Es klingt schon wieder viel lauter«, meinte Wuschel, »vielleicht haben wir es bald geschafft.«

»Wer weiß, was noch alles passiert«, dachte Wischel besorgt. Aber sie sagte nichts. Und für alle Fälle hatten sie ja auch den Drachen.

»Wie bist du eigentlich darauf gekommen, das Zauberbuch mitzunehmen?« erkundigte sie sich bei Wuschel.

»Weil doch Großmutter den Drachen gekrault hat, und das Buch auf dem Tisch herumlag«, sagte Wuschel, »und weil ich mir schon gedacht hab, daß wir es vielleicht gebrauchen könnten. Konnten wir ja auch.«

»Aber wenn Großmutter es nun herausbekommt... und wenn Mutter nicht kochen kann ohne den Drachen...«

»Das ist immer noch besser, als wenn uns die Zazischelfische gefressen hätten«, sagte Wuschel, und dazu konnte Wischel nur nikken.

Aber jetzt wollte sie wieder nach Hause. Wischel hatte genug von allen Abenteuern.

5. Kapitel

Der allerletzte Mamoffel

Wuschel und Wischel krochen weiter durch den Berg. Vor ihnen her kroch der freundliche Drache. Die Flammen aus seinen drei Mäulern leuchteten wie Fackeln, und es war nun wenigstens nicht mehr gar so finster. Aber die langen Gänge nahmen und nahmen kein Ende.

»Ich kann nicht mehr«, sagte Wischel weinerlich, »ich kann wirklich nicht mehr.«

Wuschel sah sie streng an.

»Hab dich nicht so.«

Und der Drache fauchte:

»Sei nicht traurig. Wenn wir aus dem Berg heraus sind, nehme ich euch auf den Rücken und trage euch zur Wawuschelwohnung zurück.«

Aber das war leichter gesagt als getan. Es dauerte nicht lange, da wurde der Gang so schmal, daß der Drache keinen Platz mehr hatte. Noch ein Stückchen weiter, und er würde steckenbleiben mitsamt seinen drei Köpfen.

»Es geht nicht«, fauchte er, »au! Ich schürfe

mir meine Flügel auf. Au! Mein rechter Kopf!« – Was nun?

»Dann mußt du erst einmal hierbleiben, Drache«, sagte Wuschel, »und wir müssen ohne dich weiter.«

»Allein?« fauchte der Drache, »ganz allein? Und wer krault mich?«

»Dann wird es auch wieder so dunkel«, klagte Wischel.

Aber es blieb ihnen nichts anderes übrig.

»Dort ist ein Spalt in der Wand«, sagte Wuschel, »und dahinter ist eine Höhle. Krieche hinein, Drache. Sowie wir irgendwo sind, wo genug Platz ist, zaubern wir dich wieder zu uns. Bestimmt.«

Bekümmert schickte der Drache sich an, in die Höhle hineinzukriechen.

»Kraul mich wenigstens noch einmal«, bat er Wischel, und sie kraulte ihn, so gut sie konnte.

»So, Drache, nun geh«, sagte sie traurig – aber da kam etwas dazwischen. Es kam aus der Höhle gesprungen, und es sah grausig aus. Zotteln, lange, braune Zotteln, nichts als Zotteln. Erst als die Wawuschelkinder näher hinsahen, entdeckten sie auch noch zwei Beine, zwei Arme und einen Kopf.

Das Zottelwesen griff mit einer Hand nach

Wuschel, mit der anderen nach Wischel und
hielt sie fest.

»Ändläch bäkomme äch änmal Bäsoch!«
krächzte es laut und scheußlich. »Däs äst läb
von ääch! Schnäll, kommt än mäne Höhle!«

Er wollte sie durch den Spalt zerren. Wischel schrie, so laut sie konnte, aber das Zottelwesen hielt sie fest.

»Laß uns los, laß uns sofort los!« rief Wuschel und boxte gegen die zottelige Brust.

Das Zottelwesen lachte nur laut und
krächzend.

»Hähähä! Sowas Lostäges! Solche lostä-
gen Känder!«

Doch da fuhr der Drache dazwischen. Fau-
chend stieß er mit seinen drei Köpfen auf das
Zottelwesen los und blies ihm Feuer in den
Pelz.

»Wenn du meine Freunde noch einmal an-
faßt, verbrenne ich dir alle deine Zottelhaare«,
fauchte er so wild, wie ihn Wuschel und Wischel noch nie gesehen hatten.

Sofort ließ das Zottelwesen die Wawuschelkinder los.

»Auä Auä! Auä!« krächzte es und rieb sich
den Bauch, »do häst mäch schon verbrannt!«

»Sieh dich vor, daß ich dich nicht wieder
verbrenne«, fauchte der Drache, »laß meine
Wawuschels in Ruhe!«

»Aber äch wollte ähnen doch nächts ton!«
krächzte das Zottelwesen, »äch wollte mäch
doch bloß mät ähnen onterhälten ond mät ähnen spälen. Wäwoschels, sägst do? Seid ähr
ätwä Wäwoschels?«

Wuschel und Wischel nickten.

»Dänn gäbt es noch Wäwoschels här äm
Berg? Äch dachte, dä sänd längst verschwon-
den, so wä mäne Leute, dä Mämoffels. Äch
bän än Mämoffel. Där allerlätzte Mämoffel.
Außer mär gäbt es känen änzigen Mämoffel

mähr. Ganz allän moß äch än där Höhle sät-
zen. Kommt doch än mäne Höhle, bäsocht
mäch doch än bäßchen.«

Aber Wuschel und Wischel schüttelten die
Köpfe. Sie hatten keine Lust, den Mamoffel in
seiner Höhe zu besuchen. Denn sie erinnerten
sich nur zu gut daran, was ihnen die Wawuschelgroßmutter von den Mamoffels erzählt
hatte.

»Nur gut, daß es keine Mamoffels mehr
gibt«, hatte die Wawuschelgroßmutter gesagt, »die Mamoffels, die waren die schlimm-
sten Feinde aller Wawuschels. Faul waren sie,
nichts mochten sie tun, nur herumgeschlichen
sind sie und haben gestohlen, was ihnen unter
die Zottelfinger kam. Und am liebsten haben
sie einen ganzen Wawuschel gestohlen, damit
er für sie arbeitet. Und stark waren sie, viel
stärker, als irgendein Wawuschel. Und ein
Zauberbuch hatten sie, darin gab es nur Zaubersprüche, die anderen etwas Böses zufüg-
ten. Schlimm war es mit den Mamoffels,
schlimm, sehr schlimm. Nur gut, daß es keine
mehr gibt.«

Aber da hatte sich die Wawuschelgroßmutter geirrt. Leider gab es noch einen Mamoffel. Hoffentlich hatte er wenigstens kein
Zauberbuch mehr.

»Kommt doch än mäne Höhle und bäsocht mäch«, krächzte der Mamoffel noch einmal.

»Nein, das geht nicht«, erwiderte Wuschel, »wir müssen schnell weiter und nachsehen, was im Berg so bumst. Hörst du es nicht?«

»Doch«, krächzte der Mamoffel, »äch höre äs, äber es stört mäch nächt. Äch freue mäch, wänn äch öberhaupt ätwas höre. Wärom stört äs euch dänn so sähr?«

Wischel erklärte ihm, daß von der Bumserei der Herd in der Wohnung kaputtgegangen sei.

Als der Mamoffel das hörte, krächzte er laut vor Erstaunen und patschte seine Zottelhände zusammen.

»Was? Änen Härd häbt ähr? Und äne Wohnong? Nächt nor äne Höhle?«

Wischel nickte.

»Gewiß, eine Wohnung im Berg. Mit Bänken und Tischen und Betten. Es ist sehr gemütlich bei uns. Und unsere Wawuschelmutter kocht immer Marmelade für uns, wenn wir einen Herd haben.«

»Äne Wohnong!« krächzte der Mamoffel voll Bewunderung, »äne rächtäge Wohnong mät Bätten! Jä, wänn äch so äne Wohnong mät rächtägen Bätten hätte...! Öbrägens, wäs gockt dänn dä aus däner Jacke hervor, kläner Wäwoschel?«

»Mein Zauberbuch«, sagte Wuschel schnell. Vielleicht bekam der scheußliche Mamoffel es mit der Angst zu tun, wenn er hörte, daß die Wawuschelkinder ein Zauberbuch hatten.

»Än Zoberboch?« krächzte der Mamoffel, »nä, wärkläch, ähr häbt noch än Zoberboch? Wär Mämoffels hätten fröher och än Zoberboch. Äber äs äst verloren gägongen. Schäde, schäde. Zäg mär doch änmol dän Zoberboch!«

Er griff mit seinen Zottelhänden nach dem Buch. Aber Wuschel hielt es fest, und der Drache fing an zu fauchen.

Der Mamoffel wich zurück.

»Äch wäll äs där doch nächt wägnähmen«, krächzte er, »äs nötzt mär sowäso nächts. Än Mämoffel känn nor mät änem Mämoffelzoberboch zobern und nächt mät änem Wäwoschelzoberboch. Nor än bäßchen därän läsen wäll äch. Äch häb solänge nächt gäläsen.«

»Lesen?« fragte Wuschel erstaunt.

»Lesen?« wunderte sich auch Wischel, »kannst du denn lesen?«

»Nätörlich känn äch läsen«, krächzte der Mamoffel, »älle Mämoffels können läsen, ond äch, där ällerlätzte Mämoffel, känn och läsen. Könnt ähr ätwa nächt läsen?«

»Nein, leider nicht«, sagte Wischel.

Das hätte sie lieber nicht sagen sollen. Wuschel gab ihr auch sofort einen Tritt gegen das Schienbein. Aber es war schon zu spät.

Der Mamoffel fing laut an zu lachen. Er lachte laut und scheußlich und konnte kaum wieder aufhören.

»Hähähä, hähähä, hähähä! Dä Wäwoschels häben än Zoberboch ond können nächt läsen! Hähähä, hähähä, hähähä.«

»Sei still, du scheußlicher Mamoffel!« rief Wuschel und stampfte mit dem Fuß auf, »sei sofort still!«

Der Mamoffel hörte auf zu lachen.

»Schößlächer Mämoffel?« krächzte er, »wärom sägst do schößlächer Mämoffel zu mär? Äch bän kän schößlächer Mämoffel. Äch bän än ärmer änsämer, värlässener Mämoffel, der nämänden hät, nämänden äm gänzen Bärg, nämänden of där gänzen Wält. Huohuohuo!«

Wirklich, jetzt schluchzte er. Er schluchzte laut und krächzend. Es hörte sich scheußlich an, aber trotzdem tat er Wischel leid.

»Wuschel hat es doch nicht so gemeint«, sagte sie, »sei still, weine nicht.«

Der Mamoffel schluckte und schnaufte noch ein paarmal. Aber in Wirklichkeit weinte er gar nicht. Er tat nur so, weil er die Wawuschelkinder mitleidig und freundlich stimmen wollte. Denn der letzte Mamoffel war genauso schlimm, wie alle Mamoffels gewesen waren, und er hatte einen Plan.

»Läßt mäch nor«, krächzte er und schluckte noch ein paarmal weinerlich, »gäht nor wäter. Äch wär so länge allän, so äntsätzläch länge. Ond non moß äch äben wäder allän bläben. Nämänd bäsocht mäch, ond äch känn och nämänden bäsochen. Oder erlobt ähr vällächt, däß äch öch änmäl bäsoche?«

»Armer Mamoffel«, sagte Wischel, die es auch entsetzlich gefunden hätte, immer allein zu sein, »besuch uns ruhig mal.«

Wuschel gab ihr sofort wieder einen Stoß gegen das Schienbein, weil sie etwas so Dummes gesagt hatte. Einen Mamoffel einladen! Das fehlte noch!

Aber es war zu spät. Der Mamoffel krächzte laut auf vor Freude und patschte die Zottelhände gegeneinander.

»Wärkläch? Därf äch öch bäsochen? Därf äch gläch mätkommen?«

»Nein«, sagte Wuschel schnell, »wir haben zu tun. Wir müssen herausbekommen, wo es

bumst. Dabei können wir niemanden gebrauchen.«

»Dänn sägt mär, wo ähr wohnt, ond äch
komme später.«

»Draußen am Berg vor unserem Eingang
liegt das Tabaksfeld vom Wawuschelonkel«,
sagte Wischel, und als Wuschel sie wieder
gegen das Schienbein trat, trat sie zurück.
Warum sollte der arme, einsame Mamoffel sie
nicht besuchen? Ein einziger Mamoffel gegen
so viele Wawuschels, der konnte gewiß kein
Unheil anrichten. Außerdem war noch der
Drache da, und vor dem Drachen hatte der
Mamoffel Angst.

Wuschel sah Wischel ärgerlich an.

»Wir müssen jetzt gehen. Komm, Wischel.«

»Got, got«, krächzte der Mamoffel, »gäht
nor. Ärgendwänn bäsoche äch öch bästämmt.«

»Und ich?« fauchte der Drache, »soll ich
wirklich hierbleiben bei diesem Zotteltier?«

Der Mamoffel krächzte ihn wütend an, und
der Drache blies ihm als Antwort eine mittel-
große Flamme in den Pelz. Sie konnten sich
gegenseitig nicht ausstehen.

Aber der Gang war für den Drachen nun
einmal zu schmal. Er mußte zurückbleiben.

Wuschel und Wischel versprachen ihm,

daß sie ihn sobald wie möglich mit dem Zauberspruch holen wollten. Dann krochen sie wieder allein weiter, immer tiefer in den dunklen Berg hinein.

Bumbumbum, machte es, bumbumbum.

Es klang laut und nahe. Bald mußten sie dort sein.

6. Kapitel

In der Menschenhöhle

Plötzlich wurde es hell, viel heller, als es jemals daheim in der Wawuschelwohnung gewesen war. Wuschel und Wischel standen wieder in einer Höhle. Sie kniffen die Augen zu, so sehr blendete sie das Licht. Es kam von großen Sonnen, die überall an den Wänden hingen.

Jedenfalls meinten die Wawuschelkinder, daß es Sonnen seien. Denn weil sie die Wawuschelwohnung mit ihren grünen Haaren beleuchteten, brauchten sie keine Lampen und kannten sie deshalb auch nicht.

Wuschel und Wischel drückten sich in eine Felsspalte hinein und versuchten, herauszubekommen, was es mit dieser hellen Höhle auf sich hatte. Wo waren sie hingeraten? Erst die Zazischels, dann der Mamoffel... wer mochte wohl in dieser Höhle wohnen?

»Die Wawuschelgroßmutter hat nur von den Zazischels und den Mamoffels erzählt«, meinte Wuschel, »ganz bestimmt von keinem anderen.«

Aber Wischel verstand nichts was er sagte. Es war viel zu laut rundherum.

Eines war sicher: Sie hatten die Höhle entdeckt, aus der das Bumsen kam. Nur, daß es
hier kein Bumsen mehr war, sondern ein ge-
waltiges Dröhnen.

»Vielleicht ist es die Höhle, in der die Gewitter gemacht werden«, schrie Wischel in
Wuschels Ohr hinein, »gibt es so etwas?«

»Weiß ich nicht«, schrie Wuschel zurück,
»aber Gewitter sind längst nicht so laut.«

Die Wawuschelkinder machten die Augen
auf und versuchten, in das helle Licht zu blin-
zeln. Allmählich gewöhnten sie sich daran,
und jetzt sahen sie, daß die Höhle nicht leer
war. Es wimmelte darin von Gestalten, großen Gestalten, die sich überall zu schaffen
machten. Manche standen an der Felswand
und schlugen mit dröhnenden Dingern dagegen. Andere rannten schreiend und fuchtelnd
umher, und wieder andere luden Steine und
Geröll in merkwürdige Wagen, die auf Schie-
nen liefen. Leer kamen sie in die Höhle hinein-
gefahren, voll rollten sie wieder hinaus.

»Du, Wischel«, schrie Wuschel seiner
Schwester ins Ohr, »das sind ja Menschen!«

Wischel nickte. Ja, keine Frage, das waren
Menschen. Wie Menschen aussahen, wußten
die Wawuschelkinder genau. Sie hatten sie
manchmal im Wald und auf dem Berg beob-

achtet und sich immer schnell versteckt, wenn sie in ihre Nähe gekommen waren. Menschen waren schlimm, mindestens ebenso schlimm wie Zazischels und Mamoffels. Wo sie hintraten, ging alles kaputt. Das Tabaksfeld vom Wawuschelonkel zum Beispiel, oder die Beeren, die Wuschel und Wischel im Moos aufhäuften, um sie später abzuholen. Wahrscheinlich würden die Menschen auch auf einen Wawuschel treten, wenn er ihnen zufällig unter die Füße geriet. Menschen waren schlimm, und nun waren sie mitten unter den Menschen!

»Die Wagen, die dort fahren, sehen aus wie eine Eisenbahn«, schrie Wuschel, »nur viel kleiner.«

Wischel nickte wieder. Eine Eisenbahn war auch etwas Schreckliches. Nicht weit von der Wawuschelwohnung entfernt liefen Eisenbahnschienen durch den Wald. Manchmal passierte es, daß Wuschel und Wischel in die Nähe der Gleise gerieten und ein Zug vorbeibrauste. Dann krochen sie, so schnell es nur ging, in ein Gebüsch und klammerten sich fest. Denn die Wawuschelgroßmutter hatte ihnen erzählt, daß ihre Base vom Eisenbahnwind fortgeweht worden war. Hui, war sie davongeflogen, einfach in die Luft hinein, und niemand hatte sie jemals wieder zu Gesicht bekommen.

»Diese Eisenbahn hier fährt aber gar nicht schnell«, schrie Wuschel, »sie macht keinen Wind. Wir brauchen keine Angst zu haben.«

Aber sie hatten natürlich trotzdem Angst.

Sie hatten auch allen Grund, sich zu fürchten, viel mehr, als sie ahnten.

Denn sie waren in eine Baustelle hineingeraten. Ein Tunnel sollte hier gebaut werden, ein Eisenbahntunnel, mitten durch den Berg hindurch. Die große Höhle war ein Teil des Tunnels, den die Männer schon in den Berg gesprengt hatten. Jetzt waren sie dabei, mit Preßluftbohrern neue Löcher in den Fels zu bohren, in die wieder Sprengstoff für die nächste Sprengung hineingepackt wurde. Denn immer weiter sollte der Tunnel durch den Berg gesprengt werden, immer weiter. Und die Wagen, die die Wawuschelkinder für Eisenbahnzüge hielten, waren Kipploren, mit denen all die vielen Steine abtransportiert wurden, die bei den Sprengungen herunterfielen.

Aber das alles wußten die Wawuschelkinder nicht. Sie standen nur da und wunderten sich und überlegten, wie sie hier wohl wieder herauskommen könnten.

Das heißt, eigentlich wollte nur Wischel möglichst schnell wieder hinaus. Wuschel dagegen fand es schon gleich nach dem ersten Schrecken sehr spannend und interessant in dieser Menschenhöhle. Was ihn betraf, so wollte er gern noch ein bißchen zugucken. Wischel konnte an seinem Jackenärmel zerren und zupfen, soviel sie wollte, er war nicht von der Stelle zu bewegen.

»Nun zerr doch nicht so«, murrte er, »guck dir lieber die kleine Eisenbahn an. Sie sieht wirklich kein bißchen gefährlich aus. Ob man da wohl mitfahren kann?«

Möglich, daß Wuschel auch noch auf einen Kipplorenzug gesprungen wäre. Zutrauen könnte man es ihm, und Wischel ließ seinen Ärmel vorsichtshalber nicht mehr los.

Aber es kam ohnehin nicht dazu.

Der Kipplorenzug fuhr ab, und es rollte kein neuer mehr heran. Auch die Menschen verließen die Höhle, einer nach dem anderen.

Auf einmal war es still, ganz still. Und dann ging das Licht aus.

Wenn Wuschel und Wischel gewußt hätten, daß jetzt gleich eine Sprengung kommen würde, wären auch sie gerannt, was sie nur rennen konnten. Aber so standen sie weiter da und wunderten sich. Wischel zog Wuschel am Ärmel, weil sie fortgehen wollte, und Wuschel sagte, sie solle ihn endlich in Ruhe lassen. Denn Wuschel fand es immer noch sehr interessant.

Bis es plötzlich losdonnerte.

Krachabumsakracharumsakrachabumsakrachchchchchch!

Und noch einmal. Und noch einmal.

Es war, als ob die Höhle zusammenfiele. Steine flogen durch die Luft, rundherum prasselte und krachte es, der ganze Berg wakkelte.

Das alles ging schneller, als die Wawuschelkinder denken konnten. Sonst hätten sie vielleicht gedacht: »Aha, so ist das! Darum ist unser Herd in die Luft gesprungen!«

Aber vor Schreck und Entsetzen hatten sie alle Gedanken verloren. Zum Glück standen sie in einer kleinen Felsspalte, und die Steine und Felsbrocken flogen haarscharf an ihren Nasen vorbei. Doch zum Schluß, als sie meinten, daß alles nun vorüber sei, gab es noch einmal einen gewaltigen Bums. Dabei machte die Erde einen Hopser, einen winzig kleinen nur. Aber er genügte, um die Wawuschelkinder aus ihrer Felsspalte herauszuschleudern. Es war, als hätte ihnen jemand einen Schubs in den Rücken gegeben, jemand, der zehnmal soviel Kraft wie sie selber hatte.

Danach war es wieder still in der Höhle wie zuvor.

Wuschel war auf einem Steinhaufen gelandet. Eine ganze Weile blieb er dort liegen, ohne sich zu rühren. Er glaubte, sein Kopf sei abgesprungen. Aber schließlich merkte er, daß er ihn hin- und herbewegen konnte. Saß er etwa doch noch fest auf dem Hals?

Vorsichtig betastete Wuschel seinen Kopf und merkte, daß nichts abgebrochen war, weder die Nase, noch das Kinn, noch die Ohren. Sogar ein Stückchen mehr war hinzugekommen: Eine riesige Beule mitten auf der

Stirn, die ziemlich weh tat. So weh, daß Wuschel am liebsten liegengeblieben wäre.

Aber das ging nicht. Erstens drückten ihn
die harten Steine, und zweitens war diese
Menschenhöhle das Schrecklichste, das ihm
je begegnet war.

»Nur fort von hier«, dachte Wuschel und
rappelte sich hoch, »nur fort und wieder nach
Hause. Wenn nur Wischel nichts passiert
ist.«

»Wischel!« rief er, »Wischel, wo bist du?«

Keine Antwort.

»Wischel! Wischel! Wiiischel!« rief Wuschel wieder und wieder.

Aber Wischel meldete sich nicht.

Wuschel suchte den Boden rundherum ab und die Spalten in der Wand.

»Wischel! Wiiischel!«

Keine Wischel weit und breit. Wischel war verschwunden.

Wuschel bekam Bauchschmerzen vor Sorge. Was sollte er tun? Ohne Wischel nach Hause gehen? Unmöglich. Er dachte daran, wie die Wawuschelmutter weinen würde, und daß niemand in der Wawuschelwohnung mehr lustig sein könnte ohne Wischel. An den Haselstecken im Schrank dachte er nicht. Der Haselstecken war ihm egal. Er wollte nur Wischel wiederhaben.

Was sollte er tun?

Jetzt gingen die Lichter in der Höhle wieder an. Von fern hallten Stimmen.

Die Menschen kamen zurück.

»Die Menschen müssen mir helfen«, dachte Wuschel.

Er hatte entsetzliche Angst vor den Menschen, weil sie so groß waren und so laut sprachen. Aber trotzdem, er mußte es wagen.

Er schlüpfte dicht an einen von den Menschen heran und versuchte, ihm ins Gesicht zu blicken. Aber alles, was er sah, war ein Bein, ein langes Bein, das kein Ende nahm.

»Hallo!« rief Wuschel und zupfte den Menschen am Hosenbein, »hallo!«

Der Mensch schlenkerte mit dem Bein, als wolle er eine Fliege wegjagen.

»Hallo!« schrie Wuschel, so laut er schreien konnte und riß mit aller Kraft an dem Hosenbein.

Jetzt beugte sich der Mensch zu ihm herunter. Er starrte Wuschel an. Dabei machte er ein Gesicht, als habe er noch nie einen Wawuschel gesehen, und genauso war es. Die meisten Menschen haben noch nie einen Wawuschel gesehen, und dieser hier auch nicht. Kein Wunder, daß seine Augen vor Verwunderung so groß wie die Teller wurden, von denen die Wawuschels aßen. Auch sein Mund klappte auf. »Oh!« machte er und blieb weit offen vor Staunen.

Inzwischen hatten auch die anderen Menschen Wuschel entdeckt. Alle beugten sich mit aufgerissenen Augen und Mündern zu ihm herunter.

Als Wuschel all die riesengroßen Augen sah und in die vielen offenen Mundhöhlen blickte, von denen jede beinahe so groß wie die Wawuschelstube war, da riß er aus. Er bekam es so sehr mit der Angst zu tun, daß er sich umdrehte, flink wie eine Maus durch all die Beine hindurchschlüpfte und sich in einer Felsspalte verkroch. Dort hockte er und war sehr böse auf sich.

Immer hatte er die arme Wischel ausgelacht, weil sie ein Angsthase war. Und nun hatte er selbst Reißaus genommen, anstatt tapfer zu sein und die Menschen um Hilfe zu bitten. Er, der Wuschel, er hatte sich benommen wie ein Angsthase, und dafür hätte er sich am liebsten selbst eins hinter die Löffel gegeben.

Aber wie böse Wuschel auch auf sich war, es nützte alles nichts. Er brachte es beim besten Willen nicht fertig, noch einmal zu den Menschen zu gehen. Sie sahen zu gefährlich aus. Wahrscheinlich würden sie ihn auffressen mit ihren riesigen Mündern oder sonst etwas Schreckliches tun.

Und so saß der mutige Wuschel bibbernd vor Angst in seiner Felsspalte und wartete, bis die Menschen wieder an der Arbeit waren. Dann schlich er sich vorsichtig an der Wand entlang aus der großen Höhle hinaus. Er ging in derselben Richtung, in der die Menschen vorher gegangen waren. Nach einer Weile sah er Licht, und dann stand er im Freien.

7. Kapitel

Gelbe Zöpfe und Apfelgelee

Ja, wo steckte Wischel?

Sie steckte irgendwo, wo Wuschel sie beim besten Willen nicht finden konnte.

In einer Aktentasche!

Die Aktentasche gehörte einem Ingenieur, der in der Tunnelhöhle etwas prüfen und vermessen sollte. Ein ziemlich vergeßlicher Mann offenbar – denn als die Sprengung bevorstand und alle den Tunnel verlassen mußten, hatte er die Tasche liegen lassen.

In diese Tasche war Wischel hineingeschleudert worden, als die Erde bei der Sprengung gehopst hatte.

Wischel war ein weites Stück durch die Luft geflogen, viel weiter als Wuschel, denn sie war kleiner und leichter als er. Sie hatte es auch längst nicht so gut überstanden. Ihr Kopf war zwar ebenfalls sitzengeblieben, nebst der Nase und den Ohren. Aber sie hatte die Besinnung verloren. Für eine ganze Weile war sie nicht mehr da, jedenfalls nicht mit ihren Gedanken. Sie war tief in ein Schlafland hineingefallen, in das kein Licht und kein Ton dringen kann. Deshalb hörte sie nicht, wie

Wuschel nach ihr rief. Sie merkte auch nicht, wie es wieder hell wurde in der Höhle und die Arbeit wieder anfing. Ja, sie merkte nicht einmal, wie der Mann, der die Tasche liegengelassen hatte, sie wieder abholte und mit seiner Tasche auch Wischel nach Hause trug.

Dort erst wurde sie wach.

Zuerst dachte sie, daß sie daheim in ihrem Bett läge. Sie wollte sich schnell noch einmal in die Decke kuscheln – da kitzelte sie irgend etwas an der Nase. Es war ein Blatt Papier, aber das wußte Wischel nicht. Sie machte die Augen auf und sah nirgendwo eine Decke oder ein Kopfkissen. Auch keinen Wuschel sah sie, keine Wawuschelmutter – überhaupt keinen Wawuschel!

Wo um alles in der Welt war sie hingeraten?

»Die Zazischels...«, dachte Wischel, »der Mamoffel...! Die Menschen... Wuschel... Eisenbahn...«

In diesem Augenblick wurde es hell. Ein paar fürchterlich große Augen in einem fürchterlich großen Gesicht starrten zu ihr herein und eine laute Stimme rief:

»Also, seit wann benutzt du denn meine Aktentasche als Puppenbett? Los, los! Hol deine komische Puppe da heraus!«

Ein Mensch! Ein Menschenmann!

Wischel suchte etwas, wo sie sich hätte verkriechen können, aber sie fand nichts. Zum Glück verschwand das große Gesicht. Statt dessen erschien eines, das bei weitem nicht so gewaltig und furchterregend aussah. Es sah sogar ganz freundlich aus, mit gelben Zöpfen an den Seiten.

»Wenn man Zöpfe hat«, dachte Wischel und griff nach ihrem grünen Zopf, »ist man ein Mädchen.«

Dies Wesen mit den gelben Zöpfen war sicher ein Menschenmädchen! Wischel nahm sich zusammen. Sie schluckte dreimal, und weil sie nicht wußte, was sie sagen sollte, sagte sie erst einmal:

»Guten Tag.«

Das Menschenmädchen machte ein komisches Gesicht. Es sah beinahe aus, als fürchte es sich vor Wischel.

Wischel bekam sofort etwas mehr Mut.

»Guten Tag«, sagte sie noch einmal, »ich bin Wischel. Du tust mir doch nichts?«

Das Menschenmädchen sah Wischel immer noch mit so ängstlichem Gesicht an, daß Wischel wieder eine Portion Mut dazubekam und schnell sagte: »Ich tue dir auch nichts.«

Da fing das Menschenmädchen plötzlich

an zu lachen. Es hob Wischel aus der Tasche heraus, versteckte sie unter seiner Jacke und lief schnell in ein anderes Zimmer.

Dort setzte sich das Menschenmädchen in einen Sessel und nahm Wischel auf den Schoß.

»Wenn mein Vater kommt, darfst du nicht sprechen«, sagte es rasch, »du mußt tun, als ob du eine Puppe seist. Sonst bringt er dich womöglich in den Zoo. Oder ins Museum.«

Wischel hatte keine Ahnung, was ein Zoo ist oder ein Museum.

»Warum denn?« fragte sie.

»Na, weil es doch eigentlich gar keine Zwerge mehr gibt. Sicher würden wir einen Haufen Geld für dich bekommen. Aber hab keine Angst, ich verkaufe dich nicht. Ich beschütze dich.«

»Ich bin doch kein Zwerg«, widersprach Wischel ärgerlich, denn jeder Wawuschel wird ärgerlich, wenn man ihn für einen Zwerg hält, »ich bin ein Wawuschel.«

»Ein Wawuschel? Was ist denn das?«

»Ein Wawuschel«, erklärte Wischel, »ist kein Zwerg und kein Troll und kein Zazischel und kein Mamoffel und kein Mensch. Ein Wawuschel ist ein Wawuschel.«

»Aha«, sagte das Menschenmädchen.

»Alle Wawuschels haben grüne Haare«, fuhr Wischel fort, »und wir wohnen im Berg und haben eine Wohnung und essen Marmelade und unser Herd ist kaputtgegangen und...«

Und sie erzählte dem Menschenmädchen die ganze lange Geschichte. Das Menschenmädchen hörte aufmerksam zu, denn schließlich, jeden Tag hört man nicht so eine Wawuschelgeschichte.

»Und nun bin ich hier«, sagte Wischel zum Schluß, »kannst du mir nicht helfen, daß ich wieder zurück zu unserem Berg komme?«

»Eine richtige Wohnung habt ihr?« staunte das Menschenmädchen, »und eine Wawuschelgroßmutter? Und einen Vater und eine Mutter? Und alle mit grünen Haaren?«

Wischel nickte.

»Wenn ich dich zurückbringe«, sagte das Menschenmädchen, »zeigst du mir das dann alles?«

Wischel nickte, obwohl sie sich beim besten Willen nicht vorstellen konnte, was ihre Wawuschelleute dazu sagen würden. Aber schließlich, sie mußte nach Haus, um jeden Preis. Dieses Menschenmädchen mit den gelben Zöpfen war sehr nett und freundlich und tat bestimmt keinem Wawuschel etwas zuleide.

»Hoffentlich ist unser Berg bis dahin noch nicht ganz kaputt«, meinte sie, »die Menschen, die wir in der großen, hellen Höhle gesehen haben, wollen sicher den ganzen Berg kaputt machen.«

Doch da lachte das Menschenmädchen sie aus.

»Die bauen nur einen Tunnel. Einen Tunnel, damit die Züge durch den Berg hindurchfahren können. Mein Vater hat schon an vielen Tunnels mitgebaut, und noch nie ist ein Berg dabei kaputtgegangen.«

»Aber der Berg wackelt doch«, wandte Wischel ein, »und unser Herd ist fast bis an die Decke gesprungen.«

»Das passiert manchmal, wenn gesprengt wird. Aber der Tunnel ist schon bald fertig. Ich glaube, morgen schon. Dann gibt es wieder Ruhe. Habt nur keine Angst. Ihr könnt noch tausend Jahre in eurer Wohnung wohnen.«

Über diese Nachricht war Wischel sehr froh. Und wie froh würden erst die Wawuschelmutter und alle anderen Wawuschels sein!

Wischel wollte unbedingt nach Hause, ganz schnell, um es ihnen zu erzählen. Und um Wuschel wiederzusehen. Hoffentlich war Wuschel nichts passiert. Wenn Wuschel nun auch in eine Aktentasche geflogen war!

»Kannst du mich nicht gleich heimbringen?« bat sie.

Aber das Menschenmädchen schüttelte den Kopf.

»Es wird ja schon dunkel. Im Dunkeln darf ich nicht hinausgehen, erst recht nicht in den Wald. Es ist auch viel zu weit bis zu deinem Berg, und außerdem muß ich für meinen Vater Abendbrot machen, weil meine Mutter verreist ist. Morgen früh, da gehen wir gleich los, ja?«

Das paßte Wischel gar nicht. Sie machte ein trauriges Gesicht und ließ den Kopf mit den grünen Zöpfen hängen.

»Mach nur kein Gesicht«, tröstete sie das Menschenmädchen, »es ist doch ganz lustig, wenn man einmal woanders schlafen kann. Ich freue mich immer riesig, wenn ich bei meiner Tante schlafen darf. Oder bei meiner Freundin, das ist noch besser. Ich geb dir auch etwas Gutes zu essen. Magst du Leberwurstbrot?«

»Wir essen eigentlich nur Marmelade«, meinte Wischel.

»Ach so, ja, ich weiß. Dann hole ich ein ganzes Glas Apfelgelee aus dem Keller. Ich darf das, weil meine Mutter verreist ist, und ich für Vater und mich sorgen muß. Magst du Apfelgelee?«

»Hab ich noch nie gegessen«, sagte Wischel, »Äpfel gibt es nicht im Wald. Am liebsten mag ich Tannenzapfenmarmelade.«

Tannenzapfenmarmelade! Davon hatte wieder das Menschenmädchen noch nie etwas gehört.

»Doch«, sagte Wischel, »Tannenzapfenmarmelade schmeckt am allerbesten. Wenn du mich heimbringst, gibt dir die Wawu-schelmutter sicher eine Kostprobe. Dafür probiere ich auch euer Apfelgelee.«

Das Apfelgelee schmeckte so gut, daß Wischel viel mehr aß, als eigentlich in ihren kleinen Wawuschelmagen hineinpaßte.

»Puh!« konnte sie bloß noch machen, »puh, hach, oh, puh.«

»Leg dich hin«, sagte das Menschenmädchen, »wenn man zuviel gegessen hat, muß man sich hinlegen. Soll ich dir eine Geschichte vorlesen?«

Plötzlich konnte Wischel wieder sprechen, trotz ihres vollen Bauches.

»Lesen? Vorlesen?«

»Ja, eine Geschichte. Aus meinem Märchenbuch.«

»Kannst du denn lesen?«

Das Menschenmädchen lachte, als habe Wischel einen Witz gemacht.

»Aber natürlich kann ich lesen. Ich gehe doch zur Schule. Hier, das sind meine Bücher.«

Sie zeigte auf ein Regal. Es war vollgestopft mit Büchern. Lauter Bücher, und jedes größer und dicker als das Wawuschelzauberbuch.

Wischel sah die Bücher an. Sie kaute auf

ihrem grünen Zopf, starrte die Bücher an und dachte nach. Dann sagte sie:

»Du möchtest doch, daß ich dir unsere Wawuschelwohnung zeige?«

Das Menschenmädchen nickte.

»Das tu ich aber nur«, sagte Wischel, »das tu ich nur, wenn du mir beibringst, wie man liest.«

So, das war's.

Das Menschenmädchen schüttelte den Kopf.

»Ach du liebe Zeit, du bist wirklich ein bißchen dumm! Lesen lernen? Meinst du etwa, das geht so huschhuschhusch? Da müßtest du fast ein Jahr hierbleiben. Das kannst du natürlich, wenn du willst. Aber dann müßte ich meinem Vater Bescheid sagen, schon wegen der Marmelade.«

»Nein, nein!« rief Wischel, »bloß nicht. Ich will nicht ins Suzoomerum.«

»Wohin?«

»Na, Suzoomerum, oder wie das heißt.«

»Meinst du Zoo oder Museum?«

»Ja, ja«, sagte Wischel, »das meine ich. Und ich brauche bestimmt kein Jahr zum lesen lernen. Ich brauche höchstens eine Nacht. F kann ich nämlich schon lesen.«

Das Menschenmädchen schüttelte noch

einmal den Kopf über soviel Wawuschel-Unverstand.

»Es gibt einunddreißig Buchstaben. Und außerdem noch CH und SCH und Ü und Ö, und was weiß ich alles. In einer Nacht lesen lernen! Das hat kein Mensch auf der ganzen Welt geschafft.«

»Ich will es aber versuchen«, sagte Wischel eigensinnig. »Wenn ich lesen kann, dann kann ich zaubern, und dann bekommen wir einen neuen Herd und es gibt Marmelade. Und überhaupt ist es gut, wenn man zaubern kann, schon wegen der Zazischels und dem Mamoffel. Komm bitte, hol dein Buch. Wir wollen gleich anfangen. Was ist das für ein Buchstabe?«

Sie war nicht zu halten, die kleine Wischel. Das große Menschenmädchen mußte anfangen, ihr Lesen beizubringen.

»Zuerst ein i«, sagte es, »das ist am einfachsten. Hier, das ist ein i.«

»Natürlich, ein i!« rief Wischel, »wie in FRISST. Das i kenne ich schon. Da ist ein i, und da und da und da.«

»Und der erste Buchstabe ist ein A«, fuhr das Menschenmädchen fort, »so sieht das aus. Ein bißchen schwer, was?«

Wischel fand es gar nicht schwer. Sie begriff sofort, wie ein A aussieht, das große und das kleine. Im Nu hatte sie alle großen und kleinen A's auf der Seite gefunden. Und mit dem B ging es ebenso, mit dem D, dem G, dem M und P. Es war beinahe ein Wunder.

Das Menschenmädchen saß nach einer Weile nur noch da und staunte. Denn Wischel lernte schneller als irgendein Mädchen in der Schule. Es ging ihr wie jemandem, der in eine fremde Stadt kommt, die aber in Wirklichkeit gar nicht fremd für ihn ist, weil er früher schon einmal dort war. Nun dauert es nicht lange, und schon findet er sich so gut in den Straßen zurecht, als sei er nie fort gewesen. Ja, genauso war es mit Wischel und den Buchstaben. Sie ging zwischen ihnen spazieren wie zwischen lauter guten Bekannten. Und als sie erst einmal die Buchstaben gelernt hatte, da wußte sie auch gleich, wie man sie zu Wörtern zusammensetzt.

Das lag aber daran, daß alle Wawuschelmädchen die Kunst, lesen zu lernen, mit auf die Welt bekommen. Nicht die Wawuschelmänner. Die begreifen es beim besten Willen nicht, was man ja beim Wawuschelvater sehen konnte. Aber den Wawuschelmädchen braucht man es nur einmal zu zeigen, und schon haben sie es heraus. Denn die Wawuschelfrauen müssen die Zauberbücher hüten und deshalb lesen können. Aber leider hatte die Wawuschelmutter das nie gewußt, und die Wawuschelgroßmutter es längst vergessen. Es ist eben so, daß manche Künste abhanden kommen, wenn man sie nicht übt. Wischel hatte weiter nichts getan, als eine verlorene Kunst wiederzufinden.

Als der Morgen graute, war das Menschenmädchen längst eingeschlafen. Wischel aber saß immer noch über dem Buch, kaute an ihren grünen Zöpfen und buchstabierte, lernte und übte. Und als die Sonne ins Fenster hineinschien, da hatte sie lesen gelernt, in einer einzigen Nacht.

»So«, dachte sie und reckte und streckte sich, »jetzt gibt mir das Menschenmädchen vielleicht noch ein bißchen von dem guten Apfelgelee. Und dann möchte ich heimgehen. Was Wuschel wohl macht? Hoffentlich ist er gut nach Hause gekommen.«

8. Kapitel

Noch einmal der Mamoffel

Ja, der Wuschel.

Nach Hause gekommen war er, wenn auch nicht besonders gut. Denn erstens hatte ihm die Beule am Kopf ziemlich weh getan, und zweitens wartete am Eingang der Höhle schon der Wawuschelvater auf ihn. In der Hand hielt er den Haselstecken.

Ehe Wuschel es sich versah, tanzte der Stecken auf seinem Rücken herum. Wuschel sagte nicht einmal »piep« dazu. Er fand das mit dem Haselstecken ganz in Ordnung. Denn wenn er Wischel nicht überredet hätte, mit durch den Berg zu kriechen, dann wäre sie jetzt nicht verschwunden.

Da kam auch schon die Wawuschelgroßmutter angelaufen.

»Wo ist mein Zauberbuch?« piepste sie, »du schlimmes Wawuschelkind hast mein Zauberbuch gestohlen. Wo ist es?«

Das Zauberbuch konnte sie haben. Wuschel holte es aus seiner Jacke.

»Hier.«

»Es ist ja ganz naß! Warum ist mein schönes Zauberbuch naß?«

Wuschel zuckte die Schultern.

»Wir sind in den Zazischelsee gefallen.«

»Erzähl keine Geschichten«, jammerte die Wawuschelmutter, die auch schon bereitstand, »sag lieber, wo der Drache ist! Habt ihr ihn etwa fortgezaubert? Auf einmal war er verschwunden, und ich konnte überhaupt keine Marmelade mehr kochen. Wo steckt er?«

»Bei dem Mamoffel«, sagte Wuschel.

»Du sollst mir ein für allemal keine Geschichten erzählen«, jammerte die Wawuschelmutter, »Wischel, sag du mir... ja, wo ist denn Wischel?«

Wuschel schluckte. Einmal, zweimal, dreimal. Schließlich brachte er es heraus:

»Weg.«

»Weg?« jammerte die Wawuschelmutter.

»Weg?« rief der Wawuschelvater.

»Weg?« piepste die Wawuschelgroßmutter.

»Weg?« grunzte der Wawuschelonkel.

Wuschel nickte.

»Ja, weg.«

Und dann erzählte er die ganze Geschichte, die leider keine Geschichte war, sondern Wirklichkeit.

Die Wawuschels hörten schweigend zu. Als Wuschel fertig erzählt hatte, schwiegen sie immer noch. Sie sahen einander an, schüttelten ratlos die Köpfe und sagten schließlich nichts als »ach« und »oh« und »nein, so was« und »ach jemine«.

Denn das, was sie gehört hatten, war alles sehr schlimm.

Es war schlimm, daß es die Zazischels gab und den Mamoffel und die Menschenhöhle. Und am allerschlimmsten war, daß niemand wußte, wo Wischel steckte.

»Es hat gekracht«, fing Wuschel noch einmal an, »so wie hier, als der Herd kaputtgegangen ist. Nur viel schlimmer. Dann sind lauter Steine herumgeflogen. Und dann war Wischel weg. Vielleicht ist sie vor Angst weggelaufen, weil doch der Berg so sehr gewakkelt hat. Die Menschen wollen bestimmt unseren Berg kaputtmachen. Sie haben irgendwelche Krachdinger, und bald fällt der ganze Berg zusammen.«

Der Wawuschelvater nickte mit finsterem Gesicht.

»Das glaube ich auch. Aber es ist egal. Wenn nur Wischel wiederkommt.«

»Könnte doch bloß einer von uns in dem Zauberbuch lesen«, jammerte die Wawuschelmutter, »dann könnten wir sie herzaubern.«

»Oder wenn wenigstens der Drache hier wäre«, piepste die Wawuschelgroßmutter, »der Drache könnte sie suchen. Er hat sechs Augen und kann sicher eine Menge sehen.«

»Ihr habt den Drachen von uns weggezaubert«, sagte der Wawuschelvater, »los, los, Wuschel, zaubere ihn wieder her.«

»Ich kann nicht zaubern«, sagte Wuschel. »Wischel hat gezaubert. Der Spruch steht auf der Seite, wo ein F oder so was ähnliches ist, wie in ›Die Kuh frißt auf der Wiese‹.«

»Weißt du denn nicht, welche Seite es war?« fragte die Wawuschelmutter.

Wuschel schüttelte den Kopf. Er konnte sich beim besten Willen an nichts erinnern, nicht einmal an den Marmeladefleck.

»Aber du, Vater«, sagte die Wawuschelmutter, »du liest doch immer, ›Die Kuh frißt auf der Wiese‹, du kennst doch gewiß ein F oder wie es heißt. Hier, nimm das Zauberbuch und suche es.«

Der Wawuschelvater blätterte und blätterte und suchte und suchte. Er bekam einen feuerroten Kopf vor Anstrengung, aber auch das nützte nichts.

Schließlich legte er das Zauberbuch wieder auf den Tisch.

»Ich kenne ein F bloß, wenn es in ›Die Kuh frißt auf der Wiese‹ vorkommt«, sagte er bekümmert, »ich kann es nicht finden.«

Also, da wurde die Wawuschelmutter sehr ärgerlich.

»Den ganzen Tag sitzt du mit deiner dummen Fibel herum«, jammerte sie, »wenn ich dich bitte, du möchtest einen Haken in die Wand schlagen, dann sagst du, daß du lesen lernen mußt. Und nun, wo es darauf ankommt, da findest du nicht einmal ein F oder wie es heißt. Schlimm ist das, schlimm ist das, schlimm ist das.«

Auch der Wawuschelvater fand es

schlimm. Er fand es schlimm und schämte sich und bekam einen solchen Zorn auf die Fibel, daß er sie in tausend Stücke zerriß, bis von der ganzen Fibel nichts übrigblieb als ein Haufen Papierschnitzel.

Dabei konnte die Fibel doch wirklich nichts dafür. Ja, nicht einmal der arme Wawuschelvater konnte etwas dafür. Wawuschelmänner lernen nun einmal nicht lesen, auch wenn sie sich noch so große Mühe geben. Doch davon hatten die Wawuschelleute in ihrer Höhle leider keine Ahnung.

Jedenfalls, die Fibel war kaputt, aber der Drache nicht da, und Wischel erst recht nicht.

Die Wawuschels wußten vor Kummer nicht, was sie machen sollten. Deshalb setzten sie ihre Nachtmützen über die grünen Haare und gingen ins Bett. Dort sind auch Wawuschels am besten aufgehoben, wenn sie Kummer haben. Und außerdem war es bereits tief in der Nacht. Aber schlafen konnten sie trotzdem nicht gleich. Es dauerte ziemlich lange, bis das gewohnte Wawuschelschnarchen durch die Stube klang: piepsig bei der Wawuschelgroßmutter, jammernd bei der Wawuschelmutter, grunzend beim Wawuschelonkel. Nur der

Wawuschelvater schnarchte wie üblich schön gleichmäßig, und Wuschel schnarchte überhaupt nicht.

Am nächsten Morgen schliefen die Wawuschels bis in den hellen Vormittag hinein. Wahrscheinlich hätten sie noch viel länger geschlafen, wenn es nicht plötzlich an die Tür geklopft hätte.

Es klopfte einmal, es klopfte zweimal, es klopfte ein drittes Mal.

»Steh auf, Wuschel. Sieh nach, wer da ist«, gähnte der Wawuschelvater.

Wuschel sprang aus dem Bett und lief zur Tür.

»Vielleicht ist es Wischel«, dachte er.

Aber es war nicht Wischel.

Es war kein Wawuschel mit grünen Haaren.

Es war ein Wesen mit langen, dunklen Zotteln.

Es war der Mamoffel.

»Goten Täg«, krächzte er, »äch wollte äch bäsochen.«

Damit marschierte er mir nichts, dir nichts in die Wawuschelwohnung hinein, gerade, als gehöre er dorthin.

Die Wawuschels sprangen aus ihren Betten und standen staunend um ihn herum. Ein

Mamoffel! Wo es doch eigentlich gar keine Mamoffels mehr gab!

Der Mamoffel lachte laut und krächzend. Es sollte sich freundlich anhören. Aber es klang so schauerlich, daß sich die Wawuschels am liebsten die Ohren zugehalten hätten. Dem Wawuschelonkel fielen sogar zwölf Haare auf einmal aus, so scheußlich hörte es sich an.

»Goten Täg«, krächzte der Mamoffel noch einmal, »äch wäll euch bäsochen. Däs kläne Wäwoschelmädchen hät mäch ängeläden. Jetzt bän äch dä.«

Ja, jetzt war der Mamoffel da. Was sollten die Wawuschels tun? Sie bekamen sonst nie Besuch. Aber daß man einen Besuch nicht hinauswerfen darf, das wußten sie. Und vielleicht hatte er Wischel gesehen.

Also boten sie dem Mamoffel einen Stuhl an, und die Wawuschelmutter holte sogar das vorletzte Töpfchen Himbeermarmelade aus der Speisekammer.

Der Mamoffel aß sie mit großem Vergnügen. Das heißt, er aß nicht. Er fraß. Er nahm gleich den ganzen Topf vor sein Zottelgesicht und schlürfte und schmatzte, daß den Wawuschels übel wurde.

»Däs hät got gäschmäckt«, krächzte er, als

er den letzten Rest aus dem Töpfchen heraus-
geleckt hatte, »sähr got. Häbt ähr noch mähr
davon?«

Die Wawuschelmutter schüttelte schnell
den Kopf. Sie dachte nicht daran, dem gefrä-
ßigen Mamoffel auch noch ihre letzte Marmelade zu geben.

Der Mamoffel sah es ihr an der Nasen-
spitze an, daß noch etwas in der Speisekammer war, und das bestärkte ihn in seinem hin-
terhältigen Plan. Er würde die Marmelade

schon noch bekommen. Die dummen Wawuschels sollten nur abwarten.

»Äne schäne Wohnong häbt ähr«, krächzte
er. »Stähle änd Täsche änd Bätten, älles äst
dä. Wärkläch sähr schän. Aber wo äst dänn
däs kläne Wäwoschelmädchen gäbläben, das
mäch ängeläden hät?«

»Sie ist verschwunden«, jammerte die Wawuschelmutter, »in der großen Menschenhöhle. Einfach verschwunden. Es ist schrecklich.«

»Schrecklich«, wiederholte der Wawuschelvater.

»Schrecklich«, piepste die Wawuschelgroßmutter.

»Schrecklich«, grunzte der Wawuschelonkel.

Der Mamoffel versuchte, ein trauriges und
mitleidiges Gesicht zu machen.

»Wärklich schräckläch«, krächzte er.

Dabei freute er sich diebisch, daß Wischel
verschwunden war. Denn er hatte sofort eine
Idee. Eine gute Idee. Eine echte Mamoffelidee.

»Ähr häbt doch än Zoberboch?« krächzte
er, »kännt ähr däs Wäwoschelmädchen nächt
wäder härzobern?«

Die Wawuschels schüttelten die Köpfe.

»Wir können doch nicht lesen. Wer nicht in

dem Zauberbuch lesen kann, kann auch nicht zaubern.«

Der Mamoffel patschte mitfühlend in seine Zottelhände.

»Wä schräckläch! Wä troräg! Dä häbt ähr än Zoberboch änd kännt nächt dämät zobern.«

Die Wawuschels nickten. Da hatte der Mamoffel recht. Es war sehr traurig.

Der Mamoffel sah von einem zum anderen und versuchte, sein Zottelgesicht in mitfühlende Falten zu legen.

»Dä häbt ähr aber Glöck, daß äch gekommen bän«, krächzte er scheinheilig, »äch känn nämläch läsen. Älle Mämoffelmänner häben läsen können, ond äch, där lätzte Mämoffel, känn och läsen. Gäbt mär mäl däs Zoberboch.«

Die Wawuschels zögerten. Vor allem die Wawuschelgroßmutter piepste sofort, daß sie ihr Zauberbuch ganz gewiß keinem Mamoffel in die Hand geben würde, und der Wawuschelonkel nickte grunzend dazu.

Der Wawuschelvater dachte eine Weile nach. Dann nahm er die Wawuschelgroßmutter beiseite.

»Ein Mamoffel kann mit einem Wawuschelzauberbuch ohnehin nicht zaubern«, sagte er, »aber vielleicht kann er uns wirklich helfen, Wischel wiederzuholen. Vielleicht kann er uns den richtigen Spruch zeigen. Wer weiß, wo Wischel steckt. Wenn sie sich nun furchtbar fürchtet und darauf wartet, daß wir sie befreien? Ich glaube, Großmutter, wir müssen es versuchen.«

Die Wawuschelgroßmutter piepste zwar aufgeregt und schlug die Hände über dem Kopf zusammen, aber schließlich holte sie doch das Zauberbuch. Denn auch sie wollte Wischel helfen, das war klar.

Der Mamoffel grabschte sofort mit seinen Zottelhänden nach dem Buch und fing an, gierig darin herumzublättern.

»Wär mössen änen Zobersproch fänden, mät däm wär däs kläne Wäwoschelmädchen zoröckzobern können«, krächzte er, »wartet än bäschen, gläch häb äch äs.«

Er blätterte und suchte, und das Grinsen in seinem Zottelgesicht wurde dabei immer scheußlicher. Den Wawuschels war gar nicht wohl zumute. Aber was sollten sie tun? Der Mamoffel war der einzige weit und breit, der lesen konnte.

»Här!« krächzte er und patschte in seine Zottelhände vor Vergnügen. »Här! Jetzt häbe äch dän rächtägen Zobersproch gäfonden!«

Hoschdäposchdä fläge fort,
fläge fort von här nach dort,
fläge fort mät Schoh ond Kläd,
hoschdäposchdä fläge wät.

Also, das war ein merkwürdiger Spruch, um jemanden zurückzuzaubern:

Huschdipuschdi fliege fort,
fliege fort von hier nach dort,
fliege fort mit Schuh und Kleid,
huschdipuschdi fliege weit.

Mit diesem Spruch sollte Wischel wieder in die Wawuschelwohnung gezaubert werden? Die Wawuschels konnten sich nicht vorstellen, daß es der richtige sei. Der Mamoffel tat jedoch sehr beleidigt.

»Här oben stäht: ›Zoröckzobern änes verschwondenen Wäwoschels.‹« Ond wänn ähr mär nächt globt, dänn kann däs kläne Wäwoschelmädchen däbläben, wo es äst.«

Nein, nein, das wollten die Wawuschels auf keinen Fall.

»Hilf uns bitte beim Zaubern«, jammerte die Wawuschelmutter, »wir wollen unsere Wischel wiederhaben.«

»Unbedingt«, sagte auch der Wawuschelvater.

»Auf jeden Fall«, piepste die Wawuschel-großmutter.

»Wischel soll wiederkommen«, grunzte der Wawuschelonkel.

Nur Wuschel schwieg still. Ihm war die Sache unheimlich. Am liebsten hätte er den zottigen Mamoffel aus dem Berg hinausgejagt. Aber er traute sich nicht, etwas zu sagen.

Es war auch ohnehin schon zu spät. Der Mamoffel war bereits dabei, der Wawuschel-großmutter den Zauberspruch vorzukrächzen, so lange, bis sie ihn auswendig wußte. Das dauerte seine Zeit, und der Mamoffel konnte es kaum abwarten. Immer wieder rieb er sich die Zottelhände und krächzte:

»Häst do äs noch nächt gälärnt? Däs äst doch gänz änfoch. Dä Wäwoschels sänd wärklich sähr domm. Dä häben äne so schäne Wohnong ond so än Zoberboch gär nächt värdänt.«

Ja, Wuschel hatte recht. Die Wawuschels hätten den frechen Mamoffel hinauswerfen sollen. Und wenn es nicht wegen Wischel gewesen wäre...

Aber weil es nun einmal um Wischel ging, gab sich die Wawuschelgroßmutter alle Mühe, den Zauberspruch auswendig zu lernen.

Schließlich war es soweit. Die Zauberei konnte losgehen.

»Här moßt do dän Fänger droflägen«, krächzte der Mamoffel und zeigte auf die Stelle im Zauberbuch, wo der Spruch geschrieben stand. Dabei hielt er selbst das Zauberbuch mit beiden Zottelhänden fest und ließ es auch nicht los, als die Wawuschelgroßmutter ihren Finger auf den Zauberspruch legte. Sie wunderte sich darüber, aber sie wagte nicht, den Mamoffel zu fragen.

Sie sollte es ohnehin gleich erfahren. Denn kaum hatte sie den Zauberspruch gepiepst –

> Huschdipuschdi fliege fort,
> fliege fort von hier nach dort,
> fliege fort mit Schuh und Kleid,
> huschdipuschdi fliege weit –

kaum hatte sie das letzte Wort gesprochen, da wurde es plötzlich kohlrabenschwarze Nacht. Nicht einmal die grünen Wawuschelhaare leuchteten mehr. Es rauschte, pfiff und sauste ein bißchen – und als es wieder hell wurde, saß die Wawuschelgroßmutter mit den anderen Wawuschels nicht mehr in ihrer Wawuschelwohnung, sondern oben auf einem hohen Berg. Um sie herum breitete sich eine grüne Wiese mit blauem Enzian, und das war alles. Kein Haus war zu sehen, kein Baum, nicht einmal ein Strauch.

»Wo sind wir denn nun auf einmal?« jammerte die Wawuschelmutter.

»Was ist denn passiert?« fragte der Wawuschelvater ratlos.

»Ich hab ja gesagt, ich will nie mehr zaubern«, piepste die Wawuschelgroßmutter.

»Wo ist meine Tabakspfeife?« grunzte der Wawuschelonkel.

Nur Wuschel schwieg still. Er hatte sich gleich gedacht, daß der zottelige Mamoffel etwas Böses im Schilde führte. Aber er traute sich nicht, auch nur ein einziges Wort zu sagen. Denn schließlich war er und kein anderer an dem ganzen Unglück schuld.

Allmählich begriffen die Wawuschels, was ihnen der heimtückische Mamoffel angetan hatte. Er hatte ihnen den falschen Vers gesagt! Keinen Zauberspruch, um die verschwundene Wischel wieder herbeizuzaubern, sondern einen, mit dem sich die Wawuschelfamilie selbst fortgezaubert hatte.

Die Wawuschelgroßmutter dachte nach. Dann piepste sie:

»Jetzt erinnere ich mich wieder! Es gibt so einen Zauber. In früheren Zeiten haben sich die Wawuschels immer dann selbst fortgezaubert, wenn Feinde kamen und sie sich vor ihnen verstecken wollten. Aber natürlich haben sie das Zauberbuch mitgenommen, damit sie sich wieder zurückzaubern konnten. Jetzt weiß ich, warum der Mamoffel das Zauberbuch mit beiden Händen festgehalten hat. O jemine, o jemine, o je, o je.«

»O je, o je, o je«, jammerte auch die Wawuschelmutter.

»O je, o je, o je«, sagte der Wawuschelvater.

»O je, o je, o je«, grunzte der Wawuschelonkel und auch Wuschel machte: »O je, o je, o je.«

Dann sagten sie gar nichts mehr. Sie hockten oben auf dem Berg und sahen die Wiesen und den blauen Enzian an. Sie dachten, daß sie nun wohl hier oben verhungern müßten, und Wuschel dachte außerdem: »Nur gut, daß Wischel nicht auch noch hier oben sitzt. Da braucht wenigstens sie nicht zu verhungern.«

9. Kapitel

Wischel zaubert wunderbar

Wischel hatte mit dem Menschenmädchen
ausgiebig und lange gefrühstückt – Apfelgelee natürlich, eine Menge Apfelgelee. Sie
hatte sogar ein Bröckchen Semmel dazu pro-
biert. Aber Semmel schmeckte ihr nicht besonders. Sie aß das Apfelgelee am liebsten
ohne Brot. Dann, nach dem Frühstück, machten Wischel und das Menschenmädchen sich
auf den Weg. Wischel war so vergnügt wie
seit langem nicht, vor allem, weil es nun endlich wieder nach Hause gehen sollte. Außerdem freute sie sich, daß sie lesen gelernt hatte,
und dann fand sie es herrlich, daß sie nicht
laufen mußte. Wischel hatte sich nämlich
oben auf die rechte Schulter des Menschen-
mädchens gesetzt, hielt sich an einem gelben
Zopf fest und sah sich die Gegend an. Bisher
hatte Wischel immer ihre eigenen Beine be-
nutzen müssen, um vorwärtszukommen. Jetzt
merkte sie, daß es viel mehr Spaß macht,
wenn man sich dabei nicht anzustrengen
braucht.

»Ihr müßtet ein Auto haben«, meinte das
Menschenmädchen.

»Was ist das, ein Otau?«

»Auto! Au-to! Das hat Räder und einen Motor.«

»Einen Tomtor? Was ist das?«

Das Menschenmädchen seufzte.

»Mo-tor! Ich glaube, das verstehst du nicht. Jedenfalls, ein Auto fährt. Man kann sich hineinsetzen, und es fährt.«

»Ich weiß schon! Wie eine Eisenbahn!« rief Wischel.

»Ja, ja, so ähnlich!« sagte das Menschenmädchen.

»Eine Eisenbahn ist mir zu gefährlich«, meinte Wischel, »die möchte ich lieber nicht haben.«

»Ich meine ja auch ein Auto«, sagte das Menschenmädchen.

»Aber was ist denn das, ein Otau?«

Das Menschenmädchen seufzte wieder.

»Nun sei still. Das verstehst du nicht. Das ist nichts für Wawuschels.«

Und damit hatte das Menschenmädchen recht.

Trotzdem, es war lustig, spazierengetragen zu werden. Wischel fand es fast ein bißchen schade, als sie von weitem das Tabaksfeld des Wawuschelonkels sah.

»Wir sind da!« rief sie. »Na, du wirst staunen, wenn du siehst, was für eine feine Wohnung wir haben.«

Aber als sie vor dem Eingang standen, da merkte das Menschenmädchen, daß es sich die Wawuschelwohnung leider nicht ansehen konnte. Der Eingang war viel zu klein. Für die Wawuschels, ja, da reichte er aus. Aber ein Mensch, nein, der konnte sich nie im Leben hindurchzwängen.

Das Menschenmädchen setzte sich traurig ins Gras.

»Jetzt habe ich mich so sehr auf eure Wohnung gefreut. Und auf all die anderen Wawuschels . . .«

Wischel war auch traurig. Sie hätte dem Menschenmädchen gern eine Freude gemacht. Es war so lieb gewesen und hilfsbereit und hatte Wischel das Lesen beigebracht und ihr Apfelgelee gegeben und dafür gesorgt, daß der Vater sie nicht fand und ins Muzooresum, oder wie das hieß, steckte.

»Weißt du was«, sagte Wischel, »du wartest hier, und ich hole alle heraus, Wuschel und die Wawuschelmutter, und den Wawuschelvater und die Wawuschelgroßmutter und den Wawuschelonkel. Eigentlich mögen sie ja keine Menschen. Aber dich lernen sie sicher gern kennen, weil du so nett zu mir warst. Und Mutter hat bestimmt irgendwo noch ein bißchen Tannenzapfenmarmelade für dich. Bleib nur hier sitzen, wir sind gleich da.«

Sie winkte dem Menschenmädchen noch einmal zu und lief in den Berg hinein, den Gang entlang und bis in den Vorraum.

Gerade wollte sie die Tür aufreißen – da blieb sie stehen.

Aus der Wawuschelwohnung kam ein merkwürdiges Geräusch. Ein scheußliches Geräusch, das sie noch nie gehört hatte. Es schnarchte in der Wawuschelwohnung.

Aber es schnarchte weder jammernd noch piepsig noch grunzend. Es schnarchte auch nicht schön gleichmäßig wie ein normales Vaterschnarchen. Es schnarchte überhaupt nicht wawuschelig.

Es schnarchte krächzend, laut und tief und krächzend. Es schnarchte – ja, jetzt wußte Wischel, wie es schnarchte: es schnarchte mamoffelig. Sie schlich zum Fenster und sah in die Stube.

Da lag der Mamoffel! Er lag im Bett des Wawuschelvaters, zottelig von oben bis unten, und schnarchte. Und weit und breit war kein Wawuschel zu erblicken.

Wischel stand im Vorraum, ratlos und

ängstlich. Was war passiert? Was sollte sie tun?

Auf einmal hörte sie ein leises Fauchen.

»Wischel!« fauchte es aus einem Seitengang, »Wischel!«

Sie sah sich um – und wer stand dort und grinste freundlich mit seinen drei Mäulern?

Der Drache! Der freundliche Drache!

»Ach, du lieber Drache!« rief Wischel und umarmte ihn vor lauter Freude, erst einen Kopf, dann den zweiten und zum Schluß den dritten.

»Was ist passiert? Was ist denn bloß passiert? Wo ist Wuschel? Und Mutter und Vater und Großmutter und der Onkel, wo sind sie alle?«

Der Drache fauchte so zornig, daß die Flammen aus seinen drei Mäulern fast bis an die Decke loderten.

»Der Mamoffel«, fauchte er, »dieses widerliche Zottelding! Er hat sie weggezaubert.«

Fauchend und schimpfend erzählte er Wischel, was passiert war. Denn der Drache hatte alles mit angesehen, und das war so gekommen:

Als Wuschel und Wischel ihn zurücklassen mußten, weil der Gang zu schmal war, hatte er eine Weile griesgrämig bei dem Mamoffel gehockt. Den Mamoffel konnte er gar nicht leiden, so wenig, daß er sich nicht einmal von seinen Zottelhänden kraulen lassen wollte. Dem Mamoffel, das sah der Drache ihm an, war das nur recht. Der Mamoffel war nicht scharf darauf, ihn zu kraulen. Der hatte anderes im Sinn. Er schien nachzudenken. Mit seinem Zottelgesicht glotzte er vor sich hin, eine ganze Weile. Zwischendurch patschte er immer wieder in die Zottelhände, lachte scheußlich und krächzte:

»Ähr wärdet ja sähen, ähr dommen Wäwoschels. Hähähä, ähr wärdet ja sähen.«

Das wollte dem Drachen erst recht nicht gefallen. Dieses Zotteltier hatte irgend etwas vor, das konnte er mit allen drei Nasen riechen. Und wirklich, auf einmal war der Mamoffel aufgestanden.

»Äch bäsoche jätzt däne läben Wäwoschels«, hatte er gekrächzt und noch einmal ganz besonders scheußlich gelacht.

Der Drache wollte ihn festhalten und ihm das Zottelfell versengen. Aber da war der Mamoffel schon in einem der schmalen Gänge verschwunden, in die der Drache nicht hineinpaßte.

Nun hockte der Drache allein in der Höhle,

machte sich Sorgen und wartete, wartete und wartete, daß die Wawuschelkinder ihn wieder herauszauberten. Aber nichts passierte. Und als nach einer langen Weile immer noch nichts passiert war, da hatte sich der Drache schließlich auf den Weg gemacht.

»Aber die Gänge waren doch viel zu eng«, meinte Wischel.

»Ich bin trotzdem durchgekrochen«, fauchte der Drache, »ich habe mich ganz dünn gemacht, beinahe wie ein Regenwurm, und meine Köpfe eingezogen. Da ging es. Aber weh hat's getan. Und alles hab ich mir aufgeschürft.«

Er wimmerte wehleidig und zeigte Wischel, wie zerschunden er war.

»Guter Drache«, sagte sie und kraulte ihn, »und dann?«

»Dann bin ich doch zu spät gekommen. Der Mamoffel war schon da, dies widerliche Zotteltier. Durch das Fenster konnte ich gerade noch sehen, wie er den Finger von eurer Wawuschelgroßmutter ins Zauberbuch gesteckt hat. Sie hat einen Spruch gesagt, und dann waren auf einmal alle Wawuschels weg, und das Zotteltier hat so scheußlich gelacht, daß mir alle sechs Ohren weh taten.«

»Aber was hat er denn bloß gemacht? Wie hat er denn das bloß fertiggekriegt?«

Der Drache fauchte zornig.

»Hat das Zotteltier nicht erzählt, daß es lesen kann?«

»Richtig!« rief Wischel, »und wahrscheinlich hat er der Wawuschelgroßmutter einen falschen Zauberspruch im Buch gezeigt, und dann...«

»Und dann haben sie sich alle selbst weggezaubert«, fauchte der Drache. »Und nun liegt dieses widerliche Zotteltier in unserer schönen Wawuschelwohnung, und alle Wawuschels sind weg. Huhuhuhu!«

Er weinte dicke Tränen aus seinen sechs Augen, so jämmerlich, daß Wischel ihn trösten mußte. Dabei war sie selbst doch auch so traurig.

Das heißt, je länger sie nachdachte, um so weniger traurig wurde sie. Denn eines schien sicher. Was man wegzaubern kann, das kann man auch wieder zurückzaubern. Und wenn der scheußliche Mamoffel die Wawuschels fortgezaubert hatte – warum sollte Wischel sie nicht wieder herzaubern?

Dort lag der Mamoffel und schnarchte.

Dort auf dem Tisch lag das dicke Zauberbuch.

Und hier stand sie, die Wischel. Und sie konnte lesen.

»Du, Drache«, sagte sie, »ich habe lesen gelernt.«

»Lesen?«

»Ja, bei einem Menschenmädchen. Und nun kann ich in dem Zauberbuch lesen.«

»Aber da könnten wir ja ...«, fauchte der Drache glücklich und wackelte mit allen drei Köpfen vor Vergnügen, »da könnten wir ja ...«

Wischel nickte.

»Ja. Wir könnten sie alle wieder herzaubern. Nur das Zauberbuch, das müssen wir uns erst holen. Und wenn der Mamoffel wach wird ...«

»Pah!« fauchte der Drache und blies mächtige Flammen aus seinen drei Mäulern, »mit diesem widerlichen Zotteltier werde ich schon fertig. Ich wollte ihm eigentlich gleich vorhin sein Zottelfell versengen und habe bloß abgewartet, was er wohl noch alles aushecken würde. Aber jetzt brenne ich ihm sofort ein paar tüchtige Löcher hinein.«

»Tu ihm nur nicht so weh«, sagte Wischel, die sogar mit dem Mamoffel Mitleid hatte.

Aber der Drache war schon in die Wawuschelwohnung gebraust, direkt vor das Bett, in dem der Mamoffel lag und schnarchte.

Der Mamoffel fuhr hoch und krächzte laut vor Schreck.

»To mär nächts!« krächzte er, »bätte, bätte to mär nächts.«

Der Drache fauchte zornig. Er hockte sich vor den Mamoffel auf den Boden, und wenn der Mamoffel sich nur rührte, blies er ihm sofort ein paar rote Feuerfunken in das Zottelfell.

»To mär nächts«, krächzte der Mamoffel und saß stocksteif da, um nur keine Feuerfunken in sein Fell zu bekommen.

Wischel nahm das Zauberbuch. Sie blätterte und suchte und las jeden Vers, von Seite 1 bis Seite 33. Und endlich, auf Seite 34, fand sie, was sie suchte.

»Das Zurückzaubern von einem
oder mehreren
verschwundenen Wawuschels«
war da in dicker Schrift gedruckt. Darunter stand der Zaubervers:

Huschdipuschdi fliege her,
fliege über Land und Meer,
fliege los im Augenblick,
huschdipuschdi komm zurück.

Wischel machte einen Luftsprung vor Freude.

»Ich hab's, Drache!« rief sie, »paß auf, gleich sind alle wieder da.«

Als der Mamoffel hörte, daß Wischel lesen konnte, krächzte er laut auf vor Wut. Aber der Drache blies ihm ein paar heiße Funken in das Zottelfell, da war er wieder still.

»Los, Wischel, los«, fauchte der Drache, »zaubere, schnell, zaubere!«

Wischel legte den Finger auf den Zaubervers und las ihn mit lauter Stimme vor.

Sofort fing es an zu rauschen, zu pfeifen und zu sausen. Kohlrabenschwarz wurde alles rundherum, und als es wieder hell geworden war, da saßen sämtliche Wawuschelleute am Tisch.

Sie sahen sich in der Stube um mit so verdatterten Gesichtern, als seien sie geradewegs vom Himmel gefallen. Und so ähnlich war es ja auch.

»Wir sind wieder da!« jammerte die Wawuschelmutter, obwohl es doch wirklich nichts mehr zu jammern gab.

»Wir sind wieder da«, sagte auch der Wawuschelvater.

»Wirklich, wir sind wieder da«, piepste die Wawuschelgroßmutter.

»Wir sind wieder da«, grunzte der Wawuschelonkel, »und da liegt ja meine Tabakspfeife.«

Dann fielen sich alle gegenseitig um den Hals. Es gab ein großes Wawuschelgeschrei, das größte, das es je in der Wawuschelwohnung gegeben hatte. Aber die Wawuschels waren ja auch noch niemals so froh gewesen. Außerdem hatten sie eine Menge zu erzählen.

Wischel mußte erzählen, was sie erlebt hatte, und Wuschel mußte erzählen, was er erlebt hatte, und alle erzählten und erzählten, und es gab kein Ende.

Schließlich aber fauchte der Drache dazwischen.

»Und ich? Wie lange soll ich eigentlich noch hier sitzen und das widerliche Zotteltier bewachen? Könnt ihr es nicht hinauswerfen und mich endlich ein bißchen kraulen?«

Wischel hockte sich sofort neben ihn, um ihn ganz besonders liebevoll zu kraulen.

»Hinauswerfen?« sagte der Wawuschelvater, »den Mamoffel hinauswerfen? Nein, das genügt nicht. Dann kommt er womöglich wieder.«

»Nä, nä«, krächzte der Mamoffel, »äch komme bästämmt nächt wäder. Äch habe gänog von dän Wäwoschels.«

Aber das glaubten die Wawuschels nicht. Einem Mamoffel kann man nicht glauben, und diesem allerletzten Mamoffel schon gar nicht.

»Vielleicht könnten wir ihn in irgend etwas verzaubern«, schlug Wuschel vor.

Die Wawuschelgroßmutter fing an, aufgeregt zu piepsen und ihre Hände über dem Kopf zusammenzuschlagen.

»Nein, nein, ich zaubere nie mehr. Beim Zaubern kommt nur Unfug heraus.«

»Aber du brauchst doch auch nicht zu zaubern, Großmutter«, beruhigte sie Wuschel, »Wischel kann lesen, und von jetzt an zaubert Wischel. Dabei kommt bestimmt kein Unfug heraus.«

Und Wuschel blickte voll Bewunderung auf

seine Schwester, die bei den Menschen gewesen war, die lesen gelernt und sie alle befreit hatte. Nein, Wischel war kein Angsthase. Er wollte nie wieder Angsthase zu ihr sagen.

Wischel blätterte schon in dem Zauberbuch.

»Sollen wir ihn in einen Hund verzaubern?«

»Nein, bloß nicht!« jammerte die Wawuschelmutter, »dann beißt er uns.«

»In einen Bach?«

»O jemineh, auf keinen Fall«, piepste die Wawuschelgroßmutter, »dann überschwemmt er womöglich unsere ganze Wohnung.«

»Vielleicht in einen Käfer?« schlug Wischel vor.

Davon wollte der Wawuschelonkel nichts wissen.

»Er bekommt es fertig und frißt meine Tabakspflanzen auf«, grunzte er.

»Wie wär's mit einem Baum?«

Ja, ein Baum! Das fanden alle Wawuschels in Ordnung.

Nur der Mamoffel fand es nicht in Ordnung.

Er krächzte laut, daß er kein Baum werden wolle.

Aber der Drache blies ihm ein paar Funken ins Fell und fauchte:

»Sei froh, daß du ein Baum werden darfst. Ein Baum ist zehnmal besser als so ein widerlicher, böser, zotteliger Mamoffel.«

Das sah der Mamoffel zwar nicht ein, aber alles Krächzen nützte ihm nichts. Wischel legte den Finger auf den Zaubervers und las ihn mit lauter Stimme vor:

»Äste, Stamm und braune Rinde,
Zweige wiegen sich im Winde,
wandle dich und merk es kaum,
werd ein Baum, werd ein Baum!«

Es rauschte, pfiff und sauste. Die Wawuschelstube versank in Dunkelheit. Als es wieder hell wurde, war der Mamoffel verschwunden. Aber draußen, neben dem Tabaksfeld des Wawuschelonkels, stand ein neuer Baum. Er sah braun und zottelig aus, und wenn der Wind durch die Zweige strich, dann krächzte und knarzte es.

Das war der Mamoffelbaum, der einzige Mamoffelbaum auf der Welt. Schön war er nicht. Aber den Wawuschels gefiel er auf jeden Fall besser als der Mamoffel.

»Wißt ihr, was ich jetzt mache?« sagte Wischel, als sie alle wieder um den Tisch herumsaßen, »jetzt zaubere ich einen neuen Herd.«

»Fein!« rief Wuschel, »dann kann Mutter wieder Marmelade kochen.«

»Fein!« fauchte auch der Drache, »dann fällt mir der Kessel nicht mehr auf die Nase.«

Aber der Wawuschelvater meinte:

»Es hat keinen Zweck. Hört ihr es nicht?«

Sie horchten. Wirklich, da war es wieder:

Bumbumbum, bumbumbum.

»Wuschel hat uns erzählt, was ihr in der Menschenhöhle gesehen habt. Die Menschen

sind dabei, unseren ganzen Berg kaputtzumachen. Ein neuer Herd nützt uns nichts. Wir müssen ausziehen. Aber wohin?«

»Wohin?« jammerte die Wawuschelmutter.

»Wohin?« piepste die Wawuschelgroßmutter.

»Und mein Tabaksfeld?« grunzte der Wawuschelonkel so schlechtgelaunt, daß ihm wieder ein paar grüne Haare ausfielen.

»Aber nein!« rief Wischel dazwischen, »wir brauchen nicht auszuziehen. Das Menschenmädchen hat mir alles erklärt. Die Menschen machen den Berg nicht kaputt. Sie bauen nur einen Tunnel, und der Tunnel ist bald fertig, und dann wird es wieder still im Berg. Das Menschenmädchen hat gesagt, daß er morgen ... oh je! Das Menschenmädchen! Jetzt habe ich das Menschenmädchen vergessen!«

Alle Wawuschels liefen hinaus, um nach dem Menschenmädchen zu sehen, das so freundlich zu Wischel gewesen war. Aber es war fort. Schon, als sie den Mamoffelbaum angesehen hatten, war es nicht mehr dortgewesen. Wischel hatte es zu lange warten lassen. Und jetzt glaubte es womöglich, daß Wawuschels ihr Wort nicht halten.

Wischel fand das sehr schlimm. Aber Wuschel tröstete sie:

»Sicher treffen wir das Menschenmädchen einmal im Wald.«

»Und dann bringt ihr es her«, sagte die Wawuschelmutter, »und es bekommt von mir einen ganzen Topf Tannenzapfenmarmelade.«

Da war Wischel wieder zufrieden, und sie machte sich gleich daran, einen Herd zu zaubern. Es wurde ein wunderschöner Herd, der schönste Herd, der je in einer Wawuschelwohnung gestanden hat. Und er hatte eine wunderbare Eigenschaft:

Die Marmelade, die die Wawuschelmutter auf ihm kochte, schmeckte besser als irgendeine Marmelade auf der ganzen Welt, ganz gleich, ob es Himbeermarmelade war, Brombeermarmelade, Erdbeermarmelade, Heidelbeermarmelade oder Tannenzapfenmarmelade.

Darüber freuten sich alle Wawuschels von morgens bis abends, und auch der Drache war glücklich. Er mochte zwar immer noch keine Marmelade essen, aber riechen tat er sie für sein Leben gern. Schnurrend lag er in seiner Ecke und schnupperte vergnügt mit allen drei Nasen.

Bücher von Irina Korschunow
im Herold Verlag Stuttgart

Deshalb heiße ich Starker Bär
72 Seiten mit vielen Bildern. JM ab 6
Martin muß sich bewähren, als der Vater während einer
Bergtour verunglückt.

Drei Tage mit Duda
96 Seiten mit vielen Bildern. JM ab 8
Aggi erlebt mit der plötzlich aufgetauchten Duda
die aufregendsten Tage ihres Lebens.

Eigentlich war es ein schöner Tag
124 Seiten mit vielen Bildern. JM ab 8
Tina hat an diesem Tag ein Erlebnis nach dem anderen,
erfreuliche und unerfreuliche . . .

Der kleine Clown Pippo
108 Seiten mit vielen Bildern. JM ab 6
»Das Leben ist nicht leicht«, denkt Pippo oft, trotzdem
weiß er sich fast immer zu helfen.

Niki aus dem zehnten Stock
112 Seiten mit vielen Bildern. JM ab 6
Der 6jährige Niki muß mit den Abenteuern des Alltags
fertig werden.

Töktök und der blaue Riese
120 Seiten mit vielen Bildern. JM ab 8
Töktök ist eine Schande für die Insel Gelofantia –
sein Fell ist gelb-blau gestreift!

Die Wawuschels mit den grünen Haaren
128 Seiten mit vielen Bildern. JM ab 8
Diese winzigen Leute sind bekannt durch Rundfunk- und
Fernsehsendungen.

Bücher von Janosch
bei dtv junior

Leo Zauberfloh
oder Die Löwenjagd
in Oberfimmel
7025

Lari Fari Mogelzahn
Abenteuer in der
Spielzeugkiste
7357

Der Mäuse-Sheriff
Lügengeschichten,
und zwar aus dem
Wilden Westen,
erlogen von einer Maus
7145

Onkel Poppoff
kann auf Bäume fliegen
7050

Lukas Kümmel
Zauberkünstler
oder Indianerhäuptling
7238

Hannes Strohkopp
und der unsichtbare
Indianer
7309

Schnuddelbuddel
sagt Gutnacht
7506 Schreibschrift
7396 Druckschrift

Schnuddelbuddel
baut ein Haus
7510 Schreibschrift
7405 Druckschrift

»Urmel« Bücher von Max Kruse
bei dtv junior

Was ein Urmel ist, wissen alle Kinder, die den
lustigen Fernsehfilm der Augsburger Puppenkiste
gesehen haben. Vier »Urmel« Bücher sind bereits
bei dtv junior erschienen, in denen alle Tiere mitspielen,
die bei Professor Habakuk Tibatong auf der Insel Titiwu
in die Tier-Sprechschule gehen. Erich Hölle hat die
lustigen Zeichnungen zu den Büchern gemacht.

Urmel aus dem Eis
7231

Urmel taucht ins Meer
7305

Urmel spielt im Schloß
7325

Urmel fliegt ins All
7278

Farbig illustrierte Bücher
bei dtv junior

Lewis Carroll:
Alice im Wunderland
Illustriert von F. Haacken
Ab 8 und zum Vorlesen
7100

Gerd von Bassewitz:
Peterchens Mondfahrt
Mit Bildern von
Hans Baluschek. – Ab 5
7912

Josephine Siebe:
Im Hasenwunderland
Mit Bildern von
Joseph Mauder. – Ab 5
7914

Siegfried Lenz:
So war das
mit dem Zirkus
Mit Bildern von
Klaus Warwas
7163

Astrid Lindgren:
Nils Karlsson-Däumling
Mit Bildern von
Ilon Wikland
Ab 6 und zum Vorlesen
7191

Schnuddelbuddel
sagt Gutnacht
Erzählt und gemalt
von Janosch
Ab 6 und zum Vorlesen
7396 Druckschrift
7506 Schreibschrift

Schnuddelbuddel
baut ein Haus
Erzählt und gemalt
von Janosch
Ab 6 und zum Vorlesen
7405 Druckschrift
7510 Schreibschrift

Lustiges
für Leser ab 8 Jahre
bei dtv junior

Geschichten von Tieren
für Leser ab 8 Jahre
bei dtv junior